那是纖細手工製作，
混著紅色、綠色、黃色的小雨滴。
維多利加潤澤的櫻桃小嘴微開，
驚訝地盯著糖果。
U0024554

石砌的莊嚴建築物。
聖瑪格麗特大圖書館裡，
一名神祕的嬌小少女
和平常一樣端坐著。
少女——
維多利加·德·布洛瓦獨自留下，
在空無一人的學園裡，度過漫長的暑假。
理應是這樣——

遠離夏季的列車

櫻庭一樹
Kazuki Sakuraba

封面、內文插畫／武田日向
小馬插畫／中島鯛

Contents

序幕 11

第一章 小馬拼圖 15

第二章 灑花幽靈 37

第三章 遠離夏季的列車 81

第四章 怪盜之夏 121

第五章 來自畫裡的女孩 177

第六章 初戀 215

尾聲 247

後記 249

Character 登場人物

久城一彌……來自日本的留學生，本作的主角
維多利加・德・布洛瓦……擁有智慧之泉的少女
古雷溫・德・布洛瓦……警官，維多利加的哥哥
艾薇兒・布萊德利……來自英國的轉學生
塞西爾……教師

公主最寶貝的，除了有如高空太陽，豔紅好似玫瑰的紅花之外，就是一尊美麗的大理石雕像。這尊雕像是以晶瑩剔透的白色大理石雕刻而成的俊美少年，它是與某條遭難的船，一同沉到海底。

公主在這尊石像的旁邊，種下玫瑰一般豔紅的垂柳。

——《人魚公主》安徒生

矢崎原九郎譯　新潮文庫出版

序幕

有如這數百年以來的模樣——

今年，在這個蘇瓦爾王國引以為榮，專收貴族子弟的學園——聖瑪格麗特學園廣大的校園裡，夏季已然悄悄來臨。

陽光閃耀照亮溼潤的歐洲夏季。

草地茵綠茂密，噴水池有如融化的冰柱不斷冒出，花壇中的花朵無不爭奇鬥豔。

進入暑假的學園裡，ㄈ字型的巨大教室，豪華的宿舍，全都看不見學生的蹤影。因為他們紛紛展翅迎向適合貴族度過夏季的方式——朝思暮想的假期而去。

暑假的第一天。

在失去人跡的學園裡，刺眼的陽光傾洩而下。

松鼠自森林裡奔跑出來，衝上涼亭。

然後——

位於校地一隅，石砌的莊嚴建築物——聖瑪格麗特大圖書館裡，一名神祕，嬌小的少女和平常一樣端坐。

荷葉邊與蕾絲的豪華洋裝包裹身軀。一手拿著書，似乎有點不高興地鼓起薔薇色的臉頰。深綠有如鑲嵌寶石的眼眸。披散而下有如整束絲線的金色長髮。

少女——維多利加．德．布洛瓦獨自留下，在這個空無一人，歷史悠久的學園裡，度過漫長的夏季……理應是這樣。

因為少女對於挽留少年的方法，如何說出希望他留在身邊的話語，全部一無所知，所以應該會孤零零一個人迎接夏季。

時值一九二四年——

國境與法國、義大利和瑞士接壤的西歐小國，蘇瓦爾王國。形狀細長的國土，如果將面對里昂灣的海港比喻為玄關，那麼與瑞士鄰接的阿爾卑斯山脈山麓，對於國土雖小卻擁有強大國力的「西歐小巨人」來說，便是祕密的閣樓房間。一所神祕學園悄然聳立在這個山麓，炎熱異常的寧靜夏天也來到這所擁有七百餘年歷史的學園。

暑假第一天的早晨。

少年再次離開宿舍，在庭園茵綠的草地上奔跑。為了與那位金色少女見面。

「不好了。維多利加……!我得快點去找維多利加才行!?」

只有兩人共度的漫長暑假就此展開。

第一章

小馬拼圖

1

陽光眩目的夏日早晨。

聖瑪格麗特學園——

ㄈ字型的巨大校舍，昨天之前，所有教室裡頭還排排坐著穿著制服的學生，教師匆忙通過走廊……今天早上，有著屋樑橫跨高聳天花板的走廊及耀眼彩繪玻璃的大禮堂，全都不見人影，寂靜之中只留下昨日之前喧噪的痕跡。

暑假第一天的早晨——

自校舍消失蹤影的學生們，各隨己意穿上漂亮的襯衫、靴子、成熟的洋裝，時間一到就一起從宿舍飛奔而出。每一張臉上都因為想到即將開始的兩個月漫長暑假，充滿喜悅與期待而閃閃發光。

夏日陽光從高聳的蔚藍天空傾瀉而下。噴水池的水燦然灑落。學生們拖著應該很沉重的行李箱橫越校園，爭先恐後朝著聖瑪格麗特學園的正門走去。每個人都在驕傲地訴說自己的暑假

計畫。

貴族子弟都是要和家人會合之後再一起度過豪華假期。村中唯一的小車站，只怕在數分鐘之後就會看到這些學生一擁而上，搭上列車的景象。

遠離騷動與愉快的吵鬧聲，有位少年安靜坐在自己的宿舍房間裡。

久城一彌。

他一直坐在房間裡的桃花心木書桌前，攤開教科書與筆記本，和平常一樣努力念書。

即使如此，還是無法不被窗外傳來的愉快吵鬧聲影響。

（暑假嗎……如果有出門的計畫該有多好。不過回國得花太多時間和旅費，只好留在學園……整整兩個月啊。好漫長啊。）

不由得「唉……」嘆了口氣，就在此時，房間的法式落地窗突然傳來「叩咚！」一聲被某個東西打中的聲音。一彌抬起頭來，偏著頭懷疑是什麼東西時，又再一次有什麼東西，更用力地打中窗戶。

——是小石頭。

一彌打開窗戶，看向外面。

有名少女正抬頭看著一彌位在二樓的房間。一看到一彌露出臉，臉上的表情便愉快地亮了起來。

俏麗的短金髮與帶著愉快眼神，靈活轉動的碩大藍色眼眸。像是感覺修長的手腳很礙事，一屁股坐在身邊的行李箱上。

來者正是艾薇兒・布萊德利。數個月前來自英國的留學生，和一彌一起經歷好幾起事件，因此成為好朋友。她朝著一彌精神抖擻地揮手：

「久城同學，暑假有什麼預定嗎？」

「沒、沒有啊……？」

「要不要和我一起去地中海？」

一彌驚訝地偏著頭：

「妳說的地中海，是那個地中海嗎？」

艾薇兒充滿朝氣地點頭。因為陽光刺眼而瞇起眼睛，以手掌遮住陽光抬頭仰望：

「嗯！那個啊，我的祖母——冒險家布萊德利爵士的夫人——在地中海的避暑勝地擁有一幢小巧舒適的別墅。在回到英國家中之前的一個月，我會和祖母一起到海邊度假。她說我可以帶朋友過去，不過要帶守規矩的朋友才行。所以……」

「邀我過去？」

「說到守規矩當然就是久城同學啦！所以，那個……」

艾薇兒突然臉紅，舉止有些忸忸怩怩，然後仰望一彌，擔心地皺起眉頭。

「地中海嗎……」

一彌的心思突然飄向遠方，不由得想像起來。

黃澄澄的陽光。雪白的沙灘。被太陽曬得懶洋洋的人們。充斥新鮮魚貝類的餐桌。

以及整片蔚藍的夏日海洋──

一彌的表情明亮了起來：

「謝謝妳，艾薇兒。我也一起去！」

「真的嗎!?」

興奮的艾薇兒滿臉笑容，不停揮舞雙手，修長的雙腿跳個不停：

「那麼我要搭下午的火車，中午以前把行李整理好喲。我在正門等你！」

「好！」

一彌也興奮地向艾薇兒揮手，跑回室內打算快點整理行李。

嚴肅地把必要的教科書、各種換洗衣物、泳裝和行李拿出來，就聽到「咚咚……」敲門聲傳來。一彌抬起頭──

「門沒鎖……」

話還沒說完，門就被人用力打開。

性感的紅髮舍監站在那裡。或許是暑假的第一天，看不見平常總是圍在腰際的圍裙，而是穿著一套玲瓏曲線畢露，配合髮色的紅色連身洋裝。一彌不由得臉紅，趕緊問道有什麼事。

舍監只是環視一彌的房間，一句話都沒說。

「呃，舍監……請妳別在我房間裡尋找東方風味的衣服或裝飾品了……」

「嘿嘿嘿——我從這個房間自行拿走的衣服和裝飾品都很受好評嘛。」

「自行拿走？對我來說還比較接近搶劫……對了，有什麼事嗎？」

任意接近堆在床上的行李，擅自物色起來的舍監，聽到一彌的話總算回過神來：

「嗯，當然是有事才來找你。」

「喔……」

「一時忘記了……啊，我想起來了！是、信、啦！」

舍監隨意把手伸進胸前的深谷尋找，「咦，不在這裡……」喃喃自語之後又搜起胸前、腰間的口袋。最後終於拋下一句「沒帶來！」便離開房間，等到一彌的行李收拾得差不多，早就已經忘掉舍監的事時，才啪噠啪噠跑回來：

「你看，就是這個！」

舍監遞來一封信。那是來自一彌的祖國，家人寄來的信。

「我去郵局時正好有給久城同學的信，所以就託我帶回來。那我交給你囉。」

「謝、謝謝……」

「我說好了。」

怪異的回答之後揮揮手，舍監關上門離開。

整理行李告一段落的一彌，看向牆上的時鐘——距離中午還有好長一段時間。

然後看看來信的寄件人。

「啊……!?」

一彌的眉毛抖了一下。

接著立刻丟下行李箱，匆匆忙忙衝出宿舍房間：

「不好了！維、維多利加……！我得快點去找維多利加才行!?」

2

聖瑪格麗特大圖書館——

七百年以上的悠久時光深邃刻畫在灰色石壁上，聞名遐邇的「歐洲知識殿堂」。無數藤蔓纏繞的外壁，在夏日的天空下，有如巨大角柱的影子。

用力推開包上皮革、飾有銅釘的門，小個子的東方少年——久城一彌衝進圖書館。

廣闊的大廳裡有直通遙遠上方的天花板，覆蓋四面所有牆壁的巨大書架。天花板上繪有莊嚴的宗教畫。

以細木條打造而成的迷宮樓梯，一直延續到遙遠上方的植物園，今天的一彌也專心一意開始往上爬。

往上爬。

……往上爬。

繼續往上爬。

大約過了十分鐘，發出「呼呼、哈哈！」喘息聲的一彌，腳步終於離開最後一階樓梯。南國的樹木與色彩鮮豔的巨大花朵，散落在地的書堆映入眼簾——他踏入平日見面的植物園。

「維多利加！」

「……唔？」

似乎有個低沉的微微呻吟，看來是她回應的聲音。一彌雀躍不已，不由得滿臉笑容。

（一開始……春天的時候，即使我接近維多利加主動開口，她也是興味索然，裝作沒看到的模樣。不過最近以接近回答的低吟聲回應的機率變高了。嘿嘿嘿……）

踏入植物園的深處。

就像童話裡的主角把麵包屑丟在路上，看來今天的她也邊丟翻開的書邊往深處移動。沿著書本，進入平常甚少踏入的植物園深處，今天的維多利加坐在棕櫚枝上，埋首在打開的書裡。淡紫色的洋裝，腰後以天鵝絨衣帶打了一個大蝴蝶結。有如珍奇的南國鳥兒停在樹枝上，垂向地面的美麗金髮不時搖曳。

「……怎麼了，久城？」

「不知道妳還記不記得……」

一彌從地面一躍而上，因為個子不高體重很輕，所以也跟著坐在維多利加的旁邊。維多利加蹙起眉頭，以抗議的表情瞪了一彌一眼，眨動淡翡翠綠的眼眸。

一彌從胸前口袋取出信高興說道：

「春天我們剛認識的時候，妳不是給我哥哥出了謎題嗎？還要他在五分鐘之內解答。」

「小馬拼圖嗎？」

維多利加以老太婆一般沙啞的聲音回答，然後浮起一副得意的可憎表情：

「……早就超過五分鐘了。」

「畢竟是船運，這也是沒辦法的。總之哥哥的回答寄來了，我們一起看吧。」

「哼……」

維多利加興味索然地哼了一聲。

毫不在意的一彌開開心心地拆開信。二哥放棄用英語書寫回答，而是用一彌祖國的語言寫成。第一張信紙上面的畫，應該就是謎題答案的圖案。

一彌感動地唸唸有詞：

「原來如此！我知道了！嘿嘿，這就是所謂的改變想法吧？真有趣。妳和二哥都是。」

維多利加一副對二哥的回答毫無興趣的模樣，佯裝不知繼續看書。

「什麼什麼，還寫了信。呃……『這太簡單了，三分鐘就解開了～你就這麼轉告那個小女生吧。』嗯──真奇怪。二哥和上次寄和服過來的姊姊，看來誤會妳是個小女孩了。是啦，妳的確是很孩子氣……好痛!?別踢我，我會從樹枝上摔下去的!?」

「哼！」

「啊，在信紙的角落還寫了什麼。」

一彌找到看似悄悄寫在角落的訊息，唸給維多利加聽。那是姊姊的筆跡，她偷偷告密：

『哥哥為了拼圖的事煩惱不已，就連夜裡也作惡夢夢到馬，還是我叫醒他的。最後還是不知道解答，於是回到大學母校對數學教授哭訴，教授才告訴他答案。』

維多利加聞言忍不住噗哧笑了出來。

一彌也跟著笑了。正打算收好信，注意到還有一張信紙。疑惑的一彌打開來一看，才發現上面寫著『這是挑戰』。

發現一彌愣住的表情，維多利加抬起頭來：

「怎麼啦？」

「啊、沒有……只是發現這裡也有一個不服輸的傢伙。看來二哥也想找妳挑戰，要接受嗎？還是不管他？」

維多利加的眉毛動了一下……

「當然接受。」

「是、是嗎？那麼我要唸了。」

一彌雖然一臉興味索然，不過還是抬頭挺胸，把信紙拿到胸前朗讀起來……

「呃……『太郎和次郎和三郎進到山裡。』」

「等、等等等等！」

立刻被維多利加打斷。

「……什麼事？」

「這個名字是怎麼回事？」

「我懂了。這個部分就由我來改編。『約翰和菲爾和皮耶一起進到山裡。』」

維多利加滿意地點點頭……

「這樣好。」

「是是是。『大人——不對，伯爵——命令他們三人必須一次扛起三根大木頭下山。但是要他們一人扛一根下山又太重了，根本辦不到。』」

「這些沒用的傢伙。」

「妳不要多嘴……『這時候皮耶想到伯爵命令他們「三個人各拿兩根下山」。於是三人便按照吩咐，順利帶著大木頭下山。』……就是這樣。三個人究竟是用什麼辦法完成的，看來正是問題所在。什麼什麼……『在兩分鐘之內解答。如果超過兩分鐘就要打屁股喔？』哥哥真是的，這樣很詭異耶。那我要計時兩分鐘了，維多利加……什麼？搞什麼，妳在做什麼？」

從信紙上抬頭的一彌，只見維多利加把書放在膝蓋上，以雙手的大拇指和食指比出一個三角形，拚命要讓一彌看到。

臉頰因為興奮而漲得通紅。

「什、什麼？」

「解開了！解開了！只用了一瞬間，根本不到一秒。對於我的智慧之泉來說，沒有不可能的事情！把這個世界上的混沌碎片找出來再重新拼湊……」

「等一下。那個三角形是什麼意思？」

維多利加驚訝地瞪向一彌的臉，然後鼓起臉頰。

「又怎麼啦……？」

「你聽好了，久城。雖然你其實是個無聊的凡人，腦袋很差而且又是個死神，不過我還是親切為你說明吧。」

「真是抱歉!?好了好了，快說！」

「唔!?」

維多利加不滿地瞪著一彌，然後像是重新整理心情，以兩手的手指比成三角形：

「就像這樣把木材擺成三角形，然後約翰、菲爾和皮耶各自站在角落，以右手和左手拿起一根木頭。這麼一來，就是『三人各拿兩根』木頭了。他們就以這個方式下山。」

「咦！」

一彌佩服地點頭：

「原來如此……」

「告訴你哥哥，我只用一秒就解開了。還有……」

維多利加露出輕笑。

一陣風吹過，棕櫚葉大幅搖擺，發出沙沙聲響。

從天窗可以窺探夏日眩目的天空，陽光非常耀眼。

然後——

維多利加嘟起櫻桃般潤澤的嘴唇，喃喃說道：

「要他順便向數學教授問好。」

植物園的深處再深處，大大的天窗朝外敞開。乾爽的夏日和風徐徐吹來，維多利加腰間的紫色天鵝絨蝴蝶結也隨風飄逸。

美麗的金髮不時迎風飛舞。

彷彿世間的喧囂距離這裡很遙遠，和昨日之前……暑假之前的時間一樣，飄浮著寂靜、倦怠與硬梆梆的知性。

「對了！」一彌拍了一下手，突然從棕櫚枝上跳下來。

「差不多該走了。」

「……你要去哪裡？」

一個略帶寂寥的少女聲音從棕櫚枝落下。一彌點點頭，轉頭朝著維多利加的方向望去。

「呃，那個……」

「哪個？」

維多利加毫無表情，澄澈之中帶著冷酷的翡翠綠眼眸望向這邊。一彌有些不知所措：

「今天開始就是暑假了，維多利加。呃、妳、那個……」

「我會一直待在這裡。」

維多利加以沒有抑揚頓挫的聲音回答。

小腳穿著搭配洋裝的紫色蕾絲鞋不停搖晃。

「一直……」

有如停在枝椏上的奇異小鳥，維多利加偏著小腦袋，悵然若失地看著一彌。

接著以無聊至極，帶著些許寂寞的沙啞聲音喃喃說道：

「久城，你要去某個地方吧？」

「我、我？」

一彌搔搔頭。

風再度吹過。吹動維多利加的金色長髮，和一彌的黑色短髮。

「那個，維多利加。我、我……」

3

到了中午時分——

學園裡的學生全部都在上午爭先恐後地離去，聖瑪格麗特學園的廣大校地裡，寬廣的法式庭園沒什麼人影。

澄澈的青空有如覆蓋校園的藍色帷幕，遠處浮著潔白的積雨雲。陽光變得比剛才還要強烈，像是要將庭園燃燒殆盡。

庭園的對外出口便是巨大正門。靠在形狀複雜，扭成植物圖案的鐵柵欄上，艾薇兒・布萊德利正在等待某人。她坐在大行李箱上，閒得發慌地搖頭晃腦。

「好慢啊……」

滿臉無聊地站起來並因為強烈的陽光而板起臉，開始「叩、叩！」踢起身旁的行李箱。

突然抬起頭──

「啊，來了！咦？」

艾薇兒發現自己一直等待的少年從小徑另一頭跑過來後，表情立刻亮了起來。然後才注意到那名少年──久城一彌不知為何兩手空空，沒有拿著行李箱，於是偏著頭，心裡不禁浮現怪異的預感。

「久城同學，行李呢？」

「呼、呼、呼……艾薇兒……」

朝著正門直奔而來的一彌，直挺挺打直腰桿站在艾薇兒面前。然後在驚訝的艾薇兒面前九十度彎腰，深深鞠躬。

「這種東方的姿勢是怎麼回事!?」

「對不起，艾薇兒！」

「啊……」

一彌抬起頭來說道：

「我很高興妳的邀約。這個暑假我沒有預定，原本想說應該很無聊，而且……可是！」

「……我知道了。」

艾薇兒鼓起臉頰，不過還是點點頭。

然後抬頭從正門望向遠方……花壇、小徑、涼亭、噴水池，然後是雄偉的校舍……以及更遠處隱約可見的圖書館塔灰色石牆。

和覆蓋庭園的藍色夏日天空、眩目的陽光，以及有如融化冰塊的噴水池水柱沒有任何關係。只是和平常一樣，在地面落下巨大的影子——

那座灰色巨塔今天也沉默不語地佇立在那裡。

艾薇兒咬著嘴唇。

一彌不由得擔心起來：

「對不起，艾薇兒……」

「不、不會，沒關係。」

艾薇兒一面這麼說，一面拿起行李箱：

「我會從地中海寄明信片給你。」

「嗯……」

「上面寫著：『久城同學是大笨蛋，來這裡玩多快樂啊！』」

「啊……」

「嘿嘿，開玩笑的。我走了，暑假結束之後再見。」

一彌站在正門目送艾薇兒離去的背影。

窈窕健美的身軀，修長的手腳，留著金色短髮的腦袋，朝著車站慢慢遠去。

夏日的陽光持續照耀。

不輸給地中海澄黃太陽的強烈陽光也讓灼熱的草地茵綠發光。站在原地的一彌影子很短。

艾薇兒頭也不回，只是遺憾地揮揮手，接著消失蹤影。

乾爽的風吹過。

一彌嘆了口氣，然後轉身沿著小徑走去。

往學園裡面——

往幾乎沒有任何學生，有如夏日廢墟的那裡走去——

那是——

維多利加與一彌兩人獨處，漫長暑假的第一天——

〈fin〉

故事中的拼圖，參考山姆・洛伊德（註：Samuel Loyd，十九世紀的美國益智謎題作家）所作的「小馬拼圖」。

第二章

灑花幽靈

1

夏季終於來到這個座落於平緩傾斜山坡的聖瑪格麗特學園校園，並投下眩目的白色陽光。

暑假開始之後數日——

因為幾乎所有學生都離開，在這所廣大莊嚴的學園裡，有如悠久時光流逝之後所有生物都消失般，充滿深沉的寂靜。

只有偶爾從校園小山出現的松鼠，發出「吱吱吱……」的叫聲。

花壇中爭奇鬥妍的各色花朵，雖然無人賞玩，仍在熱風之中搖曳。

涼亭的方型影子將茵綠草地染黑。

在那裡只剩下寂靜與夏日的陽光，以及……

「……唉呀、唉呀呀呀！」

中午以前——

抱著看似考卷的整疊紙張，邊調整滑落的圓眼鏡邊走出校舍的嬌小女性，正是塞西爾老

師。老師突然停下腳步，瞇起眼睛望向校舍對面，花壇和噴水池另一頭的廣大草地。

「那兩個人還在那裡啊。」

塞西爾老師重新抱好紙張，匆匆忙忙往前走。通過草地前面時還對著那兩個人說道：

「你們兩個的感情還是這麼好。」

試著與他們攀談。

聞言的兩人……其中一人是站立不動的小個子東方少年，以已經成為註冊商標的嚴肅表情點頭回應。由於正值假期中，所以沒有穿制服，而是穿著看似來自祖國的便服──染成藍色的東方和服，繫上黑色衣帶，穿著木屐。頭上戴著平常戴的氈帽，單手撐著與這身服裝和嚴肅至極的表情完全相反的東西──綴滿輕飄飄荷葉邊的粉紅陽傘。

塞西爾老師瞇起眼尾下垂的大眼睛，盯著來自日本的留學生久城一彌，以及倒在他以荷葉邊陽傘在草地上做出的圓形影子裡的某樣東西點頭：

「那麼久城同學，她就拜託你了。」

「是！」

一彌嚴肅地站直身軀，回應塞西爾老師的吩咐。

「啊……維多利加、維多利加，塞西爾老師剛才拜託我要照顧妳喔。嗯，既然受到拜託，總得做點事才行……妳有沒有在聽我說話？喂，維多利加。」

筆直站立目送匆忙走過的塞西爾老師後，一彌立刻發出無力的聲音。

在幾乎空無一人的聖瑪格麗特學園廣大校園一角，一彌直立不動站在草地上，不知如何是好般看著趴臥在腳邊映出的陽傘影子中央，以荷葉邊與蕾絲撐得蓬鬆的嬌小美麗友人。

擁有「智慧之泉」、「歐洲最後最強的力量」腦袋的少女——維多利加．德．布洛瓦，從剛才就一直趴在草地上一動也不動。

一頭美麗的金髮有如解開的天鵝絨頭巾，散落在草地上，混合白色薄絹與黑色絲絨的奢華荷葉邊洋裝包住身體。同為黑與白的頭飾，也溫柔地包裹小小的腦袋。

難不成在不注意時睡著了嗎？擔心的一彌悄悄窺探，只見穿著奢華洋裝的維多利加鼓起薔薇色的臉頰，彷彿長壽老人睡眼矇朧的綠色眼眸，有如發亮的翡翠般愣愣睜開。

「怎麼，妳醒著啊。」

「久城……吵死了……」

「妳、妳別把我的話當耳邊風好嗎？我從剛才就一直像個笨蛋一樣，為了無聊趴在這裡的妳，像這樣撐著陽傘呢？我會先被熱死吧。喂，維多利加……」

「啊……」

維多利加就這麼趴在地上，不滿地噘起櫻桃小嘴。

「真的很無聊啊。」

「……那倒也是。」

「也不想看書。」

「因為太熱了吧。既然如此，為什麼跑到這個最熱的地方來呢？妳真是莫名其妙。」

聽到一彌這麼說，維多利加只是「唔？」回了一聲，然後慢慢往右邊滾去。因為離開陽傘陰影的範圍，一彌只得急忙快步搖晃和服下襬跟過去，把荷葉邊的陽傘撐在維多利加頭上。

發現到這件事的維多利加板起小臉蛋，不悅至極地哼著鼻子。然後瞪著一彌的腳：

「好怪的鞋子！」

「這是木屐，夏天最適合穿這個了。妳要不要穿穿看？」

「怎麼能穿那種像木材一樣的鞋子。」

維多利加大放厥詞之後，又朝相反方向滾去，繼續趴在地上。一彌急忙撐著傘，啪噠啪噠追在後頭。兩人在廣闊的草地上，滾動、啪噠啪噠、滾動、啪噠啪噠——持續如此怠惰的追趕好一會兒，終於停下動作。

炎熱的夏日，乾燥的風吹動一彌的黑髮。

某處微微傳來花與樹葉的磨擦聲。

潔白的噴水池宛如因熱風而融化的冰柱，流水緩緩不斷。

安靜的夏日——

「這麼說來，維多利加……」

「…………唔？」

「妳這個傢伙，怎麼回答得這麼有氣無力！算了，我今天為了找妳到處跑來跑去……」

進入暑假之後數日的今天，一彌一大早就依照慣例尋找維多利加……

以一手撐著陽傘的姿勢，把手伸進袖子裡掏出信封。維多利加就這樣趴在地上，很有興趣地抬頭仰望：

「好奇怪的口袋啊，久城！不過倒可以說是很有你的風格。」

「別管我。重要的是臭蜥……錯了，不對。是艾薇兒、艾薇兒啦！啊～～真是的，都被妳帶壞了……艾薇兒．布萊德利的信寄到了。她在暑假期間前往地中海沿岸避暑勝地的祖母家別墅度假。在那裡呢……」

一彌以很快的速度，努力以開朗的語氣述說。

其實一彌原本也受到艾薇兒．布萊德利的邀請，一起同行……可是卻無法拋下這個嬌小、孤獨的灰狼朋友維多利加．德．布洛瓦單獨一人待在學園裡，於是在一番天人交戰之後，決定要和她一起留在空無一人的學園。

「……據說那裡發生許多怪異的事件。雖然艾薇兒的信看得不是很懂，不過至少是妳最愛

的謎題。怎麼樣，有興趣嗎？」

「…………唔。」

維多利加輕輕應了一聲，不過還是趴著，有如午睡中的白貓一動也不動，慵懶地說道：

「我倒是從這個喜歡怪談的傢伙覺得怪異的事件裡面，嗅到很濃郁的無聊煩惱。」

「嗯……」

「不過算了，總比這樣繼續無聊下去好得多。」

「真的嗎!?」

「是啊……好，你就先唸來聽聽吧。」

一彌像是鬆了一口氣點點頭，挺起胸膛。然後一隻手撐著陽傘，另一隻手拿起明信片，大聲唸道：

「『久城同學，Buongiorno!（註：義大利語裡的〈你好〉）』」

「這是什麼？」

「上面就是這麼寫。嗯——『……我現在在前往地中海的列車裡寫這封信。剛才看了《怪談 第二集》……』」

「唔唔……」

「『已經看完了，正覺得很無聊。然後……』」

2

艾薇兒．布萊德利搭上列車，到達地中海沿岸的這個城市，是在一彌讀信那一天的幾日前。暑假第一天的黃昏時分——

潮水的氣味，乾爽的細沙，高遠的藍天，延綿不斷的海岸線。白色沙灘上滿是遮陽傘和躺椅，曬成小麥色肌膚冒出汗水的避暑客開放地伸展肢體，四處走動。

乘著帶沙的乾風，小麥色肌膚散發的防曬油氣味，與海水味道一同強烈飄盪。

艾薇兒搭乘騾馬拖動的敞篷馬車，一面響起噠噠蹄聲一面走在細石板路上，興奮地前往去世祖父的別墅。不過心裡還是掛念那個待在學園裡，和自己交情很好的少年……

「奶——奶——！我來了——！」

在老舊卻經過精心整理的方形兩層渡假小屋前，艾薇兒用力揮手。一發現在二樓窗口揮手回應的老婦人，便從馬車上跳下來，喜形於色地奔跑起來。

突然撞到一個拖著裝滿各色花朵小貨車的少年，不禁跌倒。艾薇兒的行李四散在路上。看

到這副模樣的避暑客都忍不住竊笑，艾薇兒也不好意思地臉紅起來。

撞到的人是賣花小販——一名年齡相仿的義大利少年。他急忙將艾薇兒的行李全部撿起，還抓著艾薇兒的手將她拉起。

「謝、謝謝。」

少年盯著艾薇兒的臉，不知為何突然一臉怒意。然後快速說了幾句話，可是艾薇兒並不懂義大利語，只能愣愣地歪著頭回望。

少年見狀變得一臉哀傷，不過還是從販賣的花裡抓起一把紅色小花束，不知為何朝著艾薇兒粗魯丟過來。

「哇？」

少年退後兩、三步，目不轉睛地瞪著艾薇兒。艾薇兒帶著疑惑問道：

「這、這是要給我嗎？」

看過少年又看向紅色的花束，不由得偏著頭。就在此時，老婦人也從別墅出來——是祖母。艾薇兒再次向少年說聲：「呃……謝謝！」便抱著行李箱往別墅跑去。

「喔，他是米契啊。」

在別墅裡面探險，又說了愉快的暑假計畫之後，終於靜下來開始喝起紅茶的孫女面前，布萊德利爵士的遺孀如此說道。

艾薇兒咬著餅乾回問：

「米契？」

祖母點點頭。銀髮梳到腦後，身材高大又有精神的老婦人，臉上刻畫著與年紀相應的皺紋，與孫女相似的藍色眼眸，和喜愛惡作劇的少女時代沒有兩樣，骨碌碌地靈活轉動：

「他是鄰近義大利人夫婦的兒子，一到夏天就會打工賣花。雖然每年夏天都會遇到，但是我也語言不通，所以沒和他說過話。」

「唔……」

「竟然會送妳花束，應該是喜歡妳吧。」

「可是他在瞪我耶？」

「那就是不喜歡囉？」

「奶奶，到底是喜歡還是不喜歡啦!?」

祖母看著發怒的孫女臉孔，忍不住笑了。然後表情變得正經一點：

「別說米契的事了。妳還記得芙拉妮．布萊德利嗎？」

「芙拉妮？不認識，誰啊？」

「是妳的堂姊。只在很小的時候見過一次面，怪不得不記得。大概比妳大個兩、三歲，她也說想來別墅玩，我就說歡迎囉。既然和妳年紀相近，應該能夠成為玩伴吧。不過芙拉妮似乎討厭妳。」

「為、為什麼!?」

「應該是〈黑便士〉的關係吧。」

艾薇兒的表情變得陰沉。

〈黑便士〉是冒險家布萊德利爵士留給孫女艾薇兒的遺產，艾薇兒因為那是敬愛的祖父留下來的紀念，所以沒有把那張珍貴的郵票〈黑便士〉賣掉，而是珍惜地保管……

「那孩子真是的，小時候還滿率直的，大概是被爸媽寵壞的關係，沒想到變成愛鑽牛角尖的孩子。還說妳既然獨占遺產，那麼一定也對這棟別墅別有居心。不過今天晚上芙拉妮也會過來，妳們要好好相處喔。」

「什麼～」

面對不滿的艾薇兒，祖母又笑了⋯

「不用擔心，妳們一定可以成為好姊妹的。」

在這一天晚上——

艾薇兒在自己的二樓小房間裡，打開信箋組，一手拿著羽毛筆「嗯、嗯……」不住低吟。

信紙上只有來到這個城市途中，在火車裡寫好的文章，只寫著看完書之後好無聊。

「嗯——我要寫一堆愉快的事，讓久城同學後悔莫及……可是現在什麼事都沒發生。真是傷腦筋……嗯？」

似乎注意到什麼，艾薇兒抬起頭。

不知何時房門已經打開，門口站著一個金髮剪得比較短，蔚藍眼眸有如夏日晴空——和艾薇兒相當相像，但是稍為年長一些的女性。

「……難道你就是芙拉妮？」

「那麼，妳就是我的死對頭艾薇兒囉。」

芙拉妮盯著艾薇兒看。然後突然開口：

「妳最好立刻離開這裡。這棟別墅裡……有幽靈出沒！」

「幽靈!?」

艾薇兒驚聲尖叫。芙拉妮似乎誤解這個聲音是恐懼，於是發出愉快的笑聲，再把聲音壓得更低，好像是在威脅：

「艾薇兒，七年前這棟別墅裡死過人喔。被避暑的貴族玩弄之後拋棄的美麗義大利女孩，抱著花束跳海，打撈起來之後運到這棟別墅！可是那名女孩卻沒能夠獲救，而且死在這裡。之後抱著花的白衣女、鬼、就…………哇啊啊啊啊～～!?」

「哇啊啊啊～～!?」

艾薇兒卻是高興得眼睛發亮，不由自主發出尖叫。芙拉妮滿意地瞇起藍色眼眸，開始述說抱著花束的白衣幽靈如何讓這棟別墅裡的居民陷入恐慌。

——在芙拉妮終於發現眼神發亮，「多說一些，再多說一些！」央求多說一點怪談的堂妹有些不尋常，歪著頭溜走之後，艾薇兒急忙回到桌前。

舔過羽毛筆尖，興奮地開始寫信：

『久城同學，這裡好玩得不得了。因為據說在這棟別墅裡有幽靈出沒。那是……』

就在艾薇兒不停寫信時……

沒有發出任何聲音，房門朝著外面慢慢打開——

似乎看到細細長長，有些詭異的影子正在搖晃。

艾薇兒抬頭看向房門，可是一點也不放在心上，又把視線落在信紙上。

接下來是……

在看得到星空的窗外。

輕飄飄……

輕飄飄、輕飄飄……

有某個東西一邊發出蒼白的亮光一邊掠過。

一枚紅色花瓣輕輕飄落在專心寫信的艾薇兒手邊，落在信紙上。

「嗯？」

艾薇兒歪著頭，然後慢慢抬起頭。

窗外浮起一名正在灑著花瓣，穿著白色洋裝的女孩。

艾薇兒愣愣看著那名女孩好一會兒，然後倒吸一口氣：

「這、這裡是、二樓啊!?」

艾薇兒急忙站起……不過不是逃跑，而是往窗邊衝去。就在這個時候，女孩……

輕飄飄、輕飄飄、輕飄飄……

以怪異的動作通過窗外，灑著花瓣遠去。艾薇兒攀在窗框上往外四處張望——

沒有任何人……

任何人……

3

「『任何人……』信就寫到這裡，維多利加。」

站得挺直的一彌唸完艾薇兒寄來的信之後，以有些不滿的表情說出自己的感想：

「不過這個叫芙拉妮的人真是浪費時間。想必是她打算用怪談嚇走艾薇兒吧，只可惜對艾薇兒說這種故事，只會讓她高興得為了和幽靈見面而熬夜吧？」

「……」

沒有回應，一彌往下瞄了一眼，只見趴在聖瑪格麗特學園廣大庭園草地上的維多利加，比剛才更加軟弱無力。

一彌擔心地望著，維多利加終於動了一下，然後搖晃美麗的金色長髮，稍微抬起頭來，而且一臉不滿地鼓起臉頰：

「真是無聊的信啊，久城！我真是拿你的朋友沒輒。」

「呃、不、那個，真不好意思……」

一彌愧疚地喃喃說道。

夏日乾燥熱風，輕輕吹過沉默不語的維多利加嬌小身軀。

薄絹與絲絨編成的洋裝裙襬輕盈擺動。

「久城……」

維多利加終於以老太婆般沙啞的聲音說道：

「去找出比這封無聊的信，更要驚人的謎題給我。要不然……」

「要不然？」

「就讓你吃不完兜著走……」

雖然語出威脅，維多利加卻和說出來的話完全相反，輕輕閉上眼眸。然後慵懶地「呼……」嘆了一口氣。

一彌在內心邊想著「吃不完兜著走，是什麼意思啊……？」邊歪著頭，卻也不得不繼續撐著荷葉邊陽傘。腦中滿是自己的髮型變成尖錐、螺旋狀等各種形狀的可憐模樣浮現又消失……

夏日的風吹過。

兩人就有如描繪怠惰情景的畫中人物，一動也不動。

午後的草地，只有寂靜與熱氣在飄盪……

4

第二天的早晨——

一彌在男生宿舍的餐廳，獨自一人默默吃著早餐。身穿和服背挺得老直，邊吃煎蛋三明治和豆子沙拉，邊喝著新鮮牛奶。

在餐廳角落翹起二郎腿，抽菸看報的紅髮性感舍監突然「唉呀……？」發出聲音。

這個聲音引得一彌抬起頭來，於是舍監對著他說道：

「久城同學的朋友，那個女孩。對了，就是金色短髮的那個。」

「艾薇兒‧布萊德利嗎？怎麼了？」

「她上報了。」

一彌驚訝地站起來，連忙湊近舍監身邊，舍監也將早報拿給他看。

〈白衣女鬼！

與花香一同出現的靈異現象!?〉

一彌發出叫聲，埋頭在早報之中。就在他抬起頭打算說些什麼之前，舍監以司空見慣的態度說道：

「好啊，給你吧。反正我已經看過了。」

「真的嗎？謝謝！」

一彌隨便吃過早餐，就把早報塞進衣袖，戴上氈帽，踩著喀噠作響的木屐衝出宿舍。

隨即再度匆忙回頭，「喀噠喀噠！」高聲踏響木屐衝上宿舍樓梯，從自己的房間拿出和全身打扮一點也不搭調的荷葉邊小巧陽傘，夾在腋下。

「維多利加～～！」

發出和平常一樣的叫聲，又喀噠喀噠踩著木屐衝出宿舍……

「維多利加……呃，妳還在這裡嗎？妳會中暑喲？」

奔出宿舍前往聖瑪格麗特大圖書館的途中，一彌尚未到達圖書館，就在和昨天相同的寬廣草地上，看到一個輕飄飄的白色東西蜷成一團，連忙緊急剎車。

「……唔。」

白色的荷葉邊集合體，今天也像隻怠惰的小白貓，以圓滾滾的模樣緩慢移動。搖晃美麗金髮，微微抬頭的維多利加說了一聲：

「怎麼，久城。是你啊。」

「對，就是我。來吧，維多利加。」

一彌一臉正經地緩緩撐開荷葉邊陽傘，遮在那名怪異少女的上方。挺直腰桿站在原地，一動也不動。兩人沉默不語，就這麼過了好一會兒。

在兩人的視線前方，抱著一疊教科書的塞西爾老師緩緩經過。發現兩人而停下腳步的塞西爾，扶正大大的圓眼鏡鏡框，詫異地歪著頭。

「是既視現象嗎？好像昨天就看過這副光景……」

這才一邊思考一邊慢慢走過。

夏日的毒辣陽光曬著兩人，一彌的額頭流下一道汗水。沉默的一彌突然回過神來：

「對了，維多利加……」

「……怎麼了，臭蜥蜴的臭朋友久城。」

「喂！算了，也罷。妳的毒舌確實很過分，不過也不是從現在才開始。重要的是，看來我可以補充昨天的那封信了。這份早報是向舍監要來的，這條新聞看來像是艾薇兒信中事件的後續報導。有興趣嗎，維多利加？」

「唔……」

維多利加就這麼趴著，不知為何有些賭氣：

「正好相反，沒興趣。」

「……說有興趣吧，真是的。那我要唸囉。」

一彌開始唸起報紙：

「『白衣女鬼！

與花香一同出現的靈異現象!?

七月二十五日晚間，在這個以避暑勝地聞名的熱鬧現代都市，發生一樁令人矚目的怪異事件。事件發生在知名冒險家，已故布萊德利爵士遺孀所擁有的別墅一樓……』」

5

成為新聞的這起事件，發生在艾薇兒抵達地中海第二天的晚上……

「奶奶！」

黃昏時分——

眩目的夕陽將布萊德利爵士的方型度假小屋染得一片暈黃。

「妳聽我說，奶奶！咦……」

圓點圖案泳裝上披著純白上衣，很有精神衝入別墅一樓的艾薇兒，注意到與祖母同樣穿著整齊的服裝——領口釦到胸口，長裙長度直到腳踝的一群老婦人，急忙閉上嘴巴。並拉扯上衣想要藏起曬了一整天的腳和腹部。祖母此時卻滿臉笑容開始介紹孫女：

「還有另一個孫女也來了。艾薇兒，芙拉妮呢？」

艾薇兒先是偏著頭，然後衝上通往二樓的樓梯尋找芙拉妮。可是找遍所有房間都看不到芙拉妮的身影。

到處跑來跑去尋找芙拉妮的艾薇兒，朝著一樓大喊：「找不到——」

沒有回應。

艾薇兒等了好一陣子，突然有種不祥的預感，於是輕輕走下樓梯。

一步接著一步。

和來到這裡之後已經習慣的海水氣味不同，香甜但是有些怪異的氣味，越是接近一樓就越濃郁。

（這種甜甜的味道……是什麼？我知道了，是花。是花的香味。）

艾薇兒加快腳步。

（簡直濃到令人噁心……）

腳步越來越快，衝下樓梯。

（為什麼會有這麼濃的花香？這間屋子裡根本沒有花啊!?）

艾薇兒衝下樓梯，奔過走廊衝進一樓大廳。

然後大叫：

「奶、奶奶!!」

剛才還在大廳裡談笑風生的老人，全都倒在沙發上，還有人坐在地上……

她們都昏倒了。艾薇兒衝向祖母，將她扶起來。

「怎麼了!?發生什麼事了？」

「艾薇兒……突然聞到花香，然後所有的人就……」

祖母緩緩睜開眼睛，以潮濕的藍色眼眸與顫抖的聲音開口……

雖然老人們立刻恢復意識，沒有釀成大禍，但是在沒有花的房間裡卻充滿甘甜的香味，這件事沒有任何人能夠合理說明……

6

「『……這樣怪異的事件應該儘速查明真相！』就這樣，新聞到這裡結束。」

一彌唸完之後便折起報紙，塞進衣袖裡。

然後躡手躡腳地蹲下，窺探趴著的維多利加，那小巧有如瓷器的白淨臉孔。

「維多利加……？」

「……唔。」

「妳有沒有在聽我說話？」

「唔，算是有吧。」

維多利加漫不經心地回應，並以慵懶的動作慢慢起身。然後才用似乎不高興到了極點的態度，以形狀優美的小巧鼻子哼了一聲。

伸長纖細的手臂「嗯——」地伸個懶腰。小小的身體伸展起來的長度令人意外，但不一會兒又恢復原狀。

「怎麼了，維多利加？」

「混沌的碎片還不夠。這個故事聽起來到處都是破綻啊，久城？」

「是、是這樣嗎……？對不起，維多利加。」

「別以為道歉就沒事了。」

「什麼!?是、是這樣嗎？」

「當然。所以久城，看你是要跳舞或是唱歌來向我謝罪吧。」

一彌放下陽傘，用力吸了一口氣似乎正打算要唱歌，才發現這是不合理的要求，立刻閉上嘴巴。就在他心想今天一定要好好唸唸這個專橫、任性，令人感到不快的維多利加，而再次張開嘴巴時……

感覺到遠處好像有什麼東西接近。

小小的腳步聲與呼吸聲。

一彌和維多利加同時抬頭往那個方向望去——原來是一隻可愛的狗，在草地上朝著兩人跑過來。

一彌傻愣愣地看著不知何處突然冒出來的狗。維多利加以突然的動作坐起，瞇起毫無表情，耀眼有如翡翠的綠色眼眸看著狗：

「唔，還滿可愛的。」

以沙啞的聲音說出有些令人意外的話，讓望著冷酷小巧側臉的一彌嚇了一跳──維多利加的表情像是在微笑，有了一點變化。跑來的白狗走近維多利加，把黑鼻頭湊近形狀優美的小巧鼻子，接著聞起味道。

然後「啪噠啪噠！」搖晃尾巴。

維多利加表情顯得更加愉快。如果她有尾巴，說不定也會搖個幾下。

白狗抬頭望著一彌的方向，不知為何「嗚汪！」低吼一聲，又朝著來的方向跑開了。在眩目的夏日陽光之中，搖晃的活潑白狗逐漸遠去。

「誰的狗啊？」

「誰知道……」

維多利加似乎完全失去興趣，又滾倒在地上。

夏日的陽光今天也毒辣地曬著兩人。

漫長的暑假才剛開始，維多利加和一彌都悠閒地窩在草地上……

7

又過了數日的中午，聖瑪格麗特學園附近的寧靜村落。

一彌獨自走在鮮紅天竺葵被盛夏陽光照耀得亮晃晃的村子角落。購買外型簡潔、方便使用的文具，以及簡單的換洗衣物等日常用品之後，獨自抬頭挺胸走在村道上。

嘶叫的長毛馬匹拖曳貨車緩緩而行，追過一彌。

村裡姑娘一邊笑著一邊互相推擠，在雜貨店前談笑。一彌快步通過她們前面時，突然想到而停下腳步：

「對了，買把大一點的陽傘吧！」

雖然對年輕少女聚集的雜貨店感到有些畏縮，還是踏了進去，並找到好幾隻可供三、四個大人遮陽的大陽傘，開始認真挑選起來。一名少女注意到一彌的模樣，天真地問道：

「這位同學，你在找什麼嗎？」

嚇了一跳的一彌轉過身，然後直立不動：

「是的。呃，我在找大陽傘……」

話說到一半，又想了一會兒：

「……最好是白色或粉紅色，有可愛荷葉邊的傘。」

「咦——？」

少女們訝異地面面相覷，大家七嘴八舌向稍微年長的女性店員說明，喧鬧了一陣子之後，幫他挑了最大把的荷葉邊純白陽傘。

「你要用的嗎？」

「不是，那個……是朋友要用的。」

被一群年輕女孩團團包圍的一彌有些緊張，以僵硬的聲音回答。正想要離開之時，突然看到角落有一個好像小木籠的東西。上面有著精巧的裝飾，四周用細木條圍住，不過上方卻是敞開無頂。

「請問這是什麼？」

女店員嘆了一口氣：

「喔，那是用來關小狗小貓的。」

「狗？」

「沒錯，就是讓牠們沒辦法跑走。不過也只有貴族會用這種奢侈品。本想放在店裡賣賣看，沒想到完全賣不掉。」

一彌想了一下，然後戰戰兢兢地說道：

「呃，這個也……」

「咦，你要買這個嗎？」

店員吃驚地回問。

一彌抱著大陽傘和怪異的籠子，以挺直端正的姿勢離開雜貨店。本想直接回到聖瑪格麗特學園，卻又突然繞路前往常去的小郵局。

悠閒進入郵局之後，不一會兒又慌慌張張地飛奔而出，手裡還握著一封信：

「維、維多利加!?」

驚叫的模樣完全不同於剛才鎮定有如老爺爺的舉動，「喀啦喀啦喀啦喀啦！」把木屐踩得震天價響，不看村道一眼就立刻飛奔起來。

看到他的動作，在雜貨店前邊聊天邊目送他離去的女孩不由得偏著頭面面相覷。

「看來……他一定有什麼複雜的背景。」

「真是神祕啊。」

豔紅的天竺葵被夏季乾爽的風吹得不斷搖晃。村道上的塵埃揚起，又慢慢落回地面。

貨物馬車緩緩通過。

夏季的村莊各處都被陽光曬得發燙，吹來的風也是一陣又一陣的熱風。

「維多利加～～!?咦?真是的，竟然又在這種地方！」

一彌在聖瑪格麗特學園裡，平緩坡地上廣闊茵綠的草地中央停下腳步，忍不住抱怨。

就和這幾天以來一樣，嬌小任性又殘酷的重要朋友維多利加．德．布洛瓦，今天也倒在草地中央，不斷重複向右滾、向左滾的動作。

「……唔?」

可以隱約聽到慵懶無力的回答。接下來的動作彷彿是要撐起小小的金色腦袋，維多利加以黑白荷葉邊和蕾絲撐起的嬌小身體向右傾斜，就這麼沿著平緩的草地坡度往下滾。

似乎止不住滾落的力道，就這麼不斷以緩慢又怠惰的模樣滾下了去。

一彌急忙舉起剛才買到的籠子，邁開腳步追上。然後在追上滾落的維多利加時，馬上用籠子捕捉嬌小的身軀。

一瞬間……小時候由兄長帶領，暑假採集昆蟲的記憶在腦海中浮現。在那個東方島國揮舞網子捕蟬，潮濕炎熱的夏日記憶……

蟬鳴聲……

那個國家潮濕，霧氣迷濛的美麗夏天……

「……喂，久城。你這傢伙在搞什麼?」

心情惡劣到極點的維多利加發出低沉沙啞的聲音，讓一彌回過神來。俯視利用籠子總算平安救回——應該算是——的朋友，她卻吊起一雙翡翠般美麗的綠色眼眸，在籠中撐起身體，瞪視一彌。

這才發現有好一陣子沒有正面看到她的臉龐，一彌不禁開心地滿臉笑容。

「你、你這傢伙！」

「咦？從你變成你這傢伙嗎？這樣我可不能接受。妳到底在生什麼氣？」

「這是怎麼回事!?」

維多利加穿著薔薇圖案編織小鞋的腳，粗魯地踢著捕獲自己的籠子，臉也染得一片通紅，顯得憤怒不已。一彌一開始還驚訝地看著她的舉動，最後卻是滿臉笑意趴在籠子上，俯視維多利加。

「嘿嘿——抓到了、抓到了。」

「久，久城……!?」

「妳總算從草地上起來了，這是好兆頭。對了，為了避免妳中暑，所以要撐上這把特大號的陽傘。啊，還有，我幫妳把謎題的後續帶來了。心情好一點了嗎？」

「……謎題的後續？」

「嗯。」

一彌從袖口取出剛才在郵局收到，艾薇兒寄來的信件。維多利加的綠色眼眸差點變成鬥雞眼，一臉很想知道的表情。笑了一下的一彌抬頭挺胸，然後一手撐著荷葉邊大陽傘，一臉正經地以嘹亮的聲音朗讀艾薇兒寄來的第二封信：

「『……久城同學，再次Buongiorno!』」

「又來這套……」

「別抱怨了，維多利加。我繼續唸囉……『你有看到我們上報的新聞嗎？真是嚇死我了。在我寄給你第一封信的那天夜裡，就發生了第二樁事件。就是報紙上那件大家都在花香中昏倒的怪異事件。可是當天深夜又發生了第三樁事件喲。你先聽我說……』」

8

地點是地中海沿岸的城市，布萊德利爵士的別墅。

夜空中浮現閃爍的星子，來自海洋的海風與微微的海浪聲纏上人們經過日曬的肢體……

和這樣的夏夜一點也不搭調，大家聚在一起七嘴八舌討論花香事件、亂成一團時，出門不在家的芙拉妮終於回來了。

「怎麼了?在吵些什麼?」

艾薇兒直奔過來,急忙向芙拉妮說明事件經過,就在這時……

以訝異的表情聽著艾薇兒述說的芙拉妮,突然瞇起藍色眼眸盯著遠方——道路的另一頭。

艾薇兒也轉頭望去。

輕飄飄。

輕飄飄、輕飄飄。

穿著白衣的身影正從日落之後變暗的道路另一側走過。洋裝浮在地面,有如游泳般輕飄飄搖曳走過。

搖搖搖。

一邊搖晃還一邊灑落鮮豔的紅色花瓣,乘著夏日溫熱的風,飄來道路這一頭。

艾薇兒叫道:

「出、出現啦——!」

芙拉妮也跟著大叫:

「快看、快看!出現了吧——!」

芙拉妮放步奔跑,艾薇兒也急忙追上去。閃過避暑客搭乘的閃亮汽車、沒有敞篷的馬車,不斷向前跑。

白衣幽靈輕飄飄朝著暗處走去。

一轉過街角，鬼魂便消失身影，芙拉妮也跟著轉過街角——

「呀！」

接著便傳來芙拉妮的叫聲。艾薇兒匆忙跟上前去……

芙拉妮倒在地上。等到芙拉妮爬起來時，只見身下出現一件白色洋裝。

拖著滿是花朵的貨車，米契停下腳步詫異地偏著頭看向這邊。目光和艾薇兒對上後指著芙拉妮，又指向洋裝，開始說些什麼。但是他說的是義大利語，根本聽不懂。

芙拉妮的話中帶著不甘心：

「不見了……一轉過街角就不見了，只看到這件洋裝落在地上。雖然我飛撲上去……」

抬起頭看著艾薇兒繼續說道：

「艾薇兒，發生這麼多嚇人的事，妳一定不敢在別墅裡待下去了吧？一定快要嚇死了吧？一定是這樣……」

艾薇兒連忙搖頭：

「不會啊，完全沒有這回事！」

對於她的回答，芙拉妮有些不可思議地偏著頭。

「呃，然後……」

這天夜裡——

艾薇兒在自己的房間裡舔著羽毛筆，寫著準備寄給一彌的信。

「『只留下白洋裝就消失無蹤，真是嚇我一跳！這個幽靈事件還會繼續下去吧？嘿嘿嘿！』

就這麼寫。接、接下來……」

艾薇兒稍微想了一會兒，還是覺得不甘心，有些壞心眼地在信末加上幾句：

「『……就是這樣。久城同學，我這麼說雖然囉嗦了點，不過這裡真的很好玩。如果久城同學也過來該有多好！開玩笑的啦——再見囉。代我向圖書館塔裡你的灰狼問好。回頭見。

艾薇兒筆』

9

「『……還會繼續下去吧？嘿嘿嘿！』信到這裡結束了，維多利加。」

一彌若無其事地將最後三行跳過，然後把信整齊折好，收入衣袖裡。看了一眼在籠裡嘔氣大鬧的維多利加：

「嗯……混沌的碎片湊齊了嗎？」

「唔。」

「那太好了……對了，犯人是芙拉妮吧？只有她有動機。因為她想把艾薇兒嚇走，從別墅裡面趕出去。」

維多利加以慵懶的神情抬起小臉。頭髮好似黃金打造的細長絲線，輕飄飄流洩在草地上。她有些厭煩地蹙起形狀漂亮的眉毛：

「你是笨蛋嗎，久城！」

雖然稱呼從「你這傢伙」變回「你」讓心裡鬆了一口氣，不過一彌還是意外地說：

「不、不是嗎？」

「那個叫芙拉妮的女人只是喜歡鬼故事罷了。和某人不只是外表，就連興趣也很像。也許因為是堂姊妹的關係。」

「唔……大概是吧。」

「犯人是米契。」

「什麼!?」

一彌發出不滿的叫聲。維多利加的眉頭更加深鎖：

「你真是有夠吵的。」

「米契是犯人？妳怎麼知道？況且那名義大利少年沒有動機啊？」

「怎麼沒有。」

「難不成和那名投海自殺的義大利女孩有關？」

「不是這樣。和他有關的是臭蜥蜴。」

「……艾薇兒？」

一彌詫異地回問。

「沒錯。」

維多利加理所當然地點點頭，然後慵懶地伸起懶腰，無聊至極地打了呵欠。這才注意到在一旁耐心等待的一彌，於是板起臉來：

「怎麼，按照慣例，你還是沒聽懂嗎？」

「真是抱歉，我完全不能了解。」

「唔……」

維多利加低吟一聲，又在籠子慵懶地伸個懶腰，然後用優美的小鼻子哼了一聲：

「沒辦法。我就把它語言化，好讓你這種凡人也能理解吧。」

「……都已經被關在籠子裡了，還這麼裝模作樣！」

「唔?」

「沒有沒有，沒事。」

「總之操弄那個白衣幽靈的人，就是義大利少年米契。」

維多利加以老太婆般沙啞的聲音開始說明：

「米契使用的手法非常簡單，簡直就是騙小孩的把戲。只不過是在白衣服裡放進氣球，再加入一些花瓣罷了。」

「咦?」

「在第一樁事件裡，手裡抓著套上衣服的氣球，然後從臭蜥蜴的二樓房間下方緩緩走過。這麼一來輕飄飄從二樓窗外通過的白衣幽靈就完成了。接下來，在第二樁事件裡，『大家在花香中一起昏倒』是因為少年惡作劇過頭的關係。想必是在大廳裡頭放了硝基苯這種藥品，這種藥品有類似花朵的甜香味，所以花店時常灑在即將出售的花上。如果放得太多，就會造成客人身體不適。」

「喔……」

「接下來是第三樁事件，就是這件事我才斷定犯人是米契。和第一樁事件相同，利用穿著洋裝，攜帶花瓣的氣球，讓它在外面的路上行走。可是如果沒有人拉住，氣球會一直往天上飛。再加上如果被人抓住，便會發現裡面原來是氣球，所以米契才會待在轉角，只留下幽靈的

衣服而已。告訴你，米契把氣球一直拉到轉角，然後迅速戳破氣球之後藏起來。因此轉過街角追上來的臭蜥蜴和芙拉妮只能找到遺留下來的衣服。這樣你懂了吧？」

「嗯、嗯。」

一彌雖然有些疑惑，不過還是點點頭。

然後偏著頭撐著陽傘，窺視在籠中一臉嘔氣的金色「智慧之泉」：

「可是米契的動機是什麼？」

「那個幽靈是送給少女的禮物。」

維多利加淡淡地笑了。在有如陶瓷娃娃冷酷又毫無表情的臉上，短暫的瞬間似乎有一絲溫暖掠過，可是就像黎明之夢般短暫，又從她的臉上消失。

只剩下溫暖的餘韻，飄盪在兩人所在的草地附近。

一彌小聲回問：

「禮物？」

維多利加點點頭：

「沒錯。按照臭蜥蜴的第一封信，那個義大利少年和她相撞之後就送了她一束花吧？八成是對蜥蜴很有好感。那隻蜥蜴收到花之後應該很高興吧？可是語言不通，一定讓米契很煩惱。我看他八成是絞盡腦汁，努力思考什麼東西才可以吸引這名少女的注意力。」

「所以就……利用幽靈？艾薇兒的確很喜歡鬼故事，可是語言不通的米契為什麼會知道艾薇兒的怪異興趣？」

「按照信上的說法，臭蜥蜴在前往地中海的列車中，看了《怪談 第二集》對吧？然後在別墅前和米契相撞，行李箱裡的東西散落一地時，也是米契幫忙撿起的。即使語言不通，看到書上嚇人的封面也會立刻知道吧。」

維多利加說到這裡，突然嗤嗤笑了起來：

「花以外的禮物。一到夜裡就出現在少女身邊，由少年所創造的幽靈。雖然亂來了一點，倒也不能說是不羅曼蒂克啊，久城。」

「是、是這樣嗎……」

偏著頭的一彌以困惑的表情開口：

「說真的，這件事對我來說實在是難以理解。我對這種風流情事完全是門外漢。」

「唔，是這樣嗎？」

一彌原本想回一句「對啊。」但是立刻止住，臉頰也跟著變紅。

把目光從維多利加身上轉開，像是要隱藏自己的害羞，把背挺得更直，直立不動撐著陽傘，默默不語。

忙碌的塞西爾老師從遠處走過。

花壇中的花朵在夏日風中搖曳。

噴水池中的水潺潺流洩。

夏日的午後——

（花以外的禮物嗎……無論如何都想送上讓那名少女最為欣喜的東西嗎……）

自己匆忙跑來，為了維多利加帶來「謎題」——不也是給少女「花以外的禮物」嗎？

一想到這裡，一彌的胸口就湧起一股好似害羞又像痛苦，至今從未感受過的不可思議心情。一彌像是為了隱藏自己的不知所措，以毫不在乎的語氣說道：

「我可以將妳的推理告訴艾薇兒嗎？」

「隨便你。」

維多利加的臉往旁邊一轉，於是一彌也點點頭。從籠中站起的維多利加「呼——」用力伸個懶腰：

「……只有一瞬間。」

「咦？妳指什麼？」

「不無聊的時間。一瞬間就解開這麼簡單的謎題，簡直就像拿到盛夏庭院裡的冰塊碎片。好了，我該怎麼辦呢？」

「這樣啊。對、對不起……」

一臉抱歉的一彌不加思索立刻道歉，維多利加不高興地哼了一聲：

「……我不是要你道歉。」

然後露出淡淡一笑。毫無表情有如活過永恆的老人，冷酷的綠色眼眸閃閃發光。

絲線般充滿光澤的美麗金髮柔軟搖曳，維多利加以老太婆的沙啞聲音喃喃說道：

「這一切都是因為，這個世界原本就是以無聊的材料創造出來。在激情的革命之後，總會有無聊的獨裁者出現。所謂的永恆就是這麼一回事。也就是說，解決了大事件之後，只有無聊至極的時間等著我。我了解，只是無法忍耐。」

一彌聽到維多利加這麼說，想起一個禮拜之前，在暑假即將開始的聖瑪格麗特學園，才剛解決與潛伏時鐘塔的怪人有關的一連串事件。

將所有的混沌碎片撿拾起來重新拼湊，以有如魔法的不可思議方法瞬間將謎題解開的這匹小灰狼，維多利加。她現在又再度被名為無聊的不治之症纏上，在盛夏的草地上滾來滾去，不知如何是好……

「我很不高興。」

維多利加以老太婆的沙啞聲音宣告：

「無論如何，就是想要把你整得很慘。」

「整、整得很慘是什麼意思，維多利加？妳真是不講理到家的傢伙！」

一彌擦拭額頭上浮起的汗珠，撐著陽傘保護維多利加不被夏日的陽光曬傷。

草地的另一頭，小溪發出清涼的聲響。

女神的雕像流下淚水，大大的噴水池好似正在俯瞰兩人。

花壇中的花朵盛開，豔麗的花瓣在無人的庭園裡開放。

兩人就在這樣的學園裡、在草地上不斷說著：「我要把你整得很慘喔……」「整得很慘是什麼意思，維多利加？」

〈fin〉

第三章

遠離夏季的列車

1

在閃亮耀眼的夏日陽光照射之下，茵綠的草地也在閃閃發亮。

聖瑪格麗特學園。

暑假的某一天——

幾乎所有的學生都前往地中海沿岸的豪華避暑勝地，或是阿爾卑斯山脈涼爽的高原。幾無人跡的學園一角，有雙綁著奶油色緞帶蝴蝶結的小皮鞋，踏在反射日光的柔軟草地上。

沙、沙——踩在草地上走著。

這雙腳突然停下，腳的主人——穿著聖瑪格麗特學園制服，相當清秀的十五、六歲少女用力嘆了一口氣。

不算長的頭髮上面綁著和鞋子相同的奶油色蝴蝶結，被夏季裡稍微涼爽的乾風吹得亂七八糟。少女哀傷地垂下大眼眸，再一次嘆氣：

「聖瑪格麗特學園啊……」

聽起來很寂寞的微弱聲音。

少女一手提著設計簡單，毫無裝飾的大型行李箱，另一隻手上是關著色彩鮮豔大鸚鵡的銀鳥籠。行李箱的把手上繫著細繩，繩子連接到趴在少女腳邊的毛茸茸白色小狗。

少女帶著小狗、鸚鵡和行李箱邁出腳步，不斷自言自語：

「要告別了……」

悲傷又低沉的聲音，濕潤的大眼睛似乎隨時都會哭出來。

彷彿是要包住少女，夏季的風溫柔吹過。

就在這樣的暑假某一天——

2

「就算壞心眼也要有個限度啊，維多利加！」

在同一座聖瑪格麗特學園的寬廣庭園深處。

在頭上延展的巨大積雨雲，以及雲朵另一頭澄澈的夏日青空。毒辣的陽光照耀草地。

矗立在遠方，冰冷的灰色圖書館塔前方，是有著各色花朵恣意綻放的花壇、涓流小溪，以及潺潺流動有如融化冰柱的白色噴水池。

熱風吹拂的花瓣與草地不停搖曳。

無人的夏日庭園——

「我生氣了，維多利加。」

帶著些微東方口音的法語，少年發出抗議某件事的聲音。位於庭園角落舒適的小涼亭前方，在大太陽底下穿著染成藍色的和服、戴著薄料圓頂硬禮帽、腳踩著木屐，在這個學園裡有不少人認識的東方留學生．久城一彌不知道在抗議什麼。

「強烈抗議！我再也受不了妳的任性了。」

「……都是因為你不肯道歉。」

某處傳來低沉有如老太婆的沙啞聲音。悶熱的風也在瞬間突然停止，像是為那聲音的冰冷感到驚訝，冰涼的寂靜包圍附近。

可是一彌不打算屈服，仍然暴跳如雷。

涼亭的尖屋頂落下一個圓影子，下面有小圓桌與可愛的長椅。長椅上面坐著看似嬌小少女的東西。只看到桌子下面露出蕾絲襪與點綴花朵圖案的芭蕾舞鞋，以及輕盈伸展的荷葉邊裙襬。桌子上還有一大堆呈放射線狀攤開的艱深書籍。

一臉認真的一彌，對著被桌子與書山遮擋而看不見的嬌小少女不斷抱怨：

「只不過是一點小事，妳又何必這麼生氣呢，維多利加？不過是甜點罷了，再買新的不就得了？重要的是……」

「不過是、甜點、罷了？」

沙啞的聲音變得更加低沉不悅。一彌嘆了口氣：

「……好吧，是我不對。」

像是拗不過她，總算道歉了。然後悻悻然舉起穿著木屐的一隻腳。

那裡有被木屐的兩條橫線踩個正著的草莓蛋糕。一彌有些不耐煩地辯解：「就在拿過來時，一不小心掉在地上，正好被這隻腳踩個正著。不過還能吃啊。妳看，就是正中央還沒有踩爛的部分。」

「……都是因為你穿那種無聊的木材鞋子。」

「才、才不干木屐的事！」

「哼！」

維多利加不悅地哼著鼻子，只是稍微把打開的書推開，看著一彌的方向。有如活過百年漫長時光的老太婆，思緒深遠帶著悲傷，可是卻又空無一物的不可思議綠色眼眸——現在竟然很難得地像個孩子浮起淚水，直盯著一彌。

（生、生氣了……）

面對維多利加這樣的表情，一彌不禁感到戰慄。維多利加就這麼直勾勾盯著一彌。

（我們剛認識時，的確無法一直引起她的注意。這表示我們的交情變好了嗎？不過這種瞪著我的表情真可怕……！）

一彌只好放棄草莓蛋糕，進入涼亭在維多利加對面的長椅坐下。把手放在桌上撐住臉頰，然後歪著頭看向目露兇光的小維多利加。

今天的維多利加，是用滿布小花圖案的黑蕾絲連身洋裝包住嬌小的身軀，腰上圍著以白色與黃色花朵裝飾並排的細皮帶，有著美麗金髮的小腦袋上，戴著宛如盛開花朵般的荷葉邊小帽。小巧可愛的模樣，就好像維多利加本身化成豪華的花束。

以這般模樣睜開冰冷的綠色眼眸，毫無表情瞪著一彌。一彌不由得笑了出來，伸出食指對著維多利加鼓起來的薔薇色臉頰——戳了一下。

維多利加再度變得面無表情，接著以巨大古代生物的緩慢動作，隱身在書籍後面。

「……別碰我。」

「怎麼，我只是戳一下而已啊？」

「……」

沒有回答。

一彌雖然不停說著「我再去買回來就是了。」「聽說是很受村中少女歡迎的店。」「不只是草莓蛋糕，還有苔桃蛋糕和蘋果派。」等話題，還是因為好長一段時間，維多利加都沒有從書籍另一頭露臉而感到擔心：

「維多利加，妳還在嗎？妳實在太小了，有時候我根本不知道妳在不在啊！好痛!?不要踢我！踢我就表示妳還在囉？維多利加？」

一邊自言自語，一邊窺探桌子下方。

——維多利加在那裡。

蹲在桌子下縮成一朵花的荷葉邊，小小的雙手握著什麼東西。

四方形的白色東西，看起來像是信件。

一彌也和維多利加一樣，鑽進圓桌子底下：

「妳怎麼了？」

「……在這裡找到的。」

維多利加以一如以往的不悅低沉聲調，不耐煩地指著桌腳。古老的圓桌處處都有裂痕、缺角。維多利加找到藏在某道小裂縫裡的東西。

「在這種地方？一定是某人故意藏的吧？那是信嗎？」

「唔，應該是。裡面好像有一張信紙。」

「為什麼這種地方會有信？難道是別人的祕密信箱嗎？奇怪，在學園裡找個地方親手交換不就得了。維多利加？喂，維多利加？」

好像沒聽到一彌的聲音，維多利加著迷於找到的信件，開始上下左右觀察起來。

炎炎夏日把草地與涼亭的尖屋頂照得十分眩目……

3

「擦過窗戶之後，去打掃校舍……咦？」

精神抖擻地走過聖瑪格麗特學園女生宿舍走廊的雀斑少女，歪著頭看著窗外。

身穿以白與深藍為基調，設計簡潔重視實用性的女僕制服。以簡單的白色頭飾包住頭髮，兩手拿著拖把與水桶的少女，看到窗外經過另一位垂頭喪氣的少女，毫不猶豫出聲叫道：

「拉菲小姐？」

顯眼的奶油色蝴蝶結被風吹動。手裡拿著大型行李箱與銀鳥籠，身旁帶著毛茸茸的白色小狗。那只行李箱尤其令人在意。少女放下拖把與水桶，雙手用力拉起由棉絨剪裁的沉重深藍裙子與簡單的白襯裙。以棉質襯褲全都曝光的姿勢衝下樓梯的少女，在樓梯與哇哇大叫，負責打掃的年長婦人錯身：

「喂，蘇菲！」

「對不起，不過等會兒再說！」

「等一下，真是沒規矩！」

少女──蘇菲當然不理她，不顧裙子掀起就衝下樓梯，卯起勁來在草地上奔跑。

總算追上通過巨大鐵門即將離去的奶油色蝴蝶結清純少女──拉菲小姐，急忙開口：

「妳、妳要去哪裡？拉菲小姐！」

因為突然聽到自己的名字而感到訝異，拉菲小姐回過身來。然後以不可思議的眼神盯著女僕裝扮的少女：

「咦，妳是？」

被人從正面盯著回問，讓蘇菲的雀斑臉不由得漲得通紅：

「啊、那個、我是蘇菲。我是、女僕。總是在妳住的女生宿舍打掃，還有……」

「唉呀，我知道了。」

面對語無倫次地說明的蘇菲，拉菲小姐很有精神地點頭說道：

「早上和傍晚都會擦身而過。妳就是擦窗戶的女孩對吧？」

「對！就是這樣！」

「總是以讓人擔心可能會打破窗戶的力道用力擦拭，害我老是抬頭看著妳，擔心會不會有問題。對了，妳的名字是蘇菲嗎？」

蘇菲點點頭，又語無倫次地說明自己是在附近的村子出生長大，從今年開始在聖瑪格麗特學園工作。

「這樣啊……」

拉菲小姐若有所思，然後突然抬起頭，望著蘇菲的眼睛：

「蘇菲，妳喜歡狗嗎？」

「咦？喜歡啊。我還在家裡和弟弟一起養狗。」

「那麼，如果可以，能不能收下這隻狗呢……」

蘇菲嚇了一跳，默默看著拉菲小姐的臉。蘇菲知道她很疼愛這隻小白狗。拉菲小姐以隨時會哭出來的表情說道：

「我不能養了……所以……」

「這是怎麼回事？還有這麼一大箱行李……」

「其實我要離開學校了。因為父親工作的關係……付不起這裡的學費。所以趁著暑假，帶著行李離開。」

「唉呀！」

「我必須要工作才行。我連可以回去的家都沒有了。一定會，很辛苦……」

拉菲小姐突然啜泣起來。蘇菲不知如何是好，好一會兒只是揮動雙手，傻傻站在拉菲小姐前面。想不出什麼安慰的話，煩惱了好一陣子才想起一件事：

「請妳等一下，拉菲小姐！」

跑向正門前方的簡單職員宿舍。幾個和蘇菲穿著相同服裝的女僕來來往往。蘇菲進入三樓自己簡單的房間，從抽屜裡小心翼翼拿出裝有餅乾的袋子。抓住三袋裡面其中的一袋，從窗口對著詫異仰望這邊的拉菲小姐揮手。然後又跑過走廊，奔下樓梯，回到拉菲小姐身邊：

「呼、呼……這個給妳！」

「什、什麼東西？」

「餅乾！我奶奶以祖傳的食譜做給我的。其他地方絕對吃不到，非常好吃喔。所以我很珍惜，不過還是送給妳……」

如此說道的蘇菲不知為何又害羞地臉紅，忍不住低下頭。想到把祖母的餅乾送給擔心未來的千金小姐，根本也無濟於事。只覺得自己粗魯笨拙的少女，為了掩飾這樣的心情，蘇菲喋喋不休地說起祖母的事：

「奶奶烹飪的手藝很好，可是有點迷信。她從以前就經常告訴我，在沒有月亮的晚上絕對不可以外出，橫越十字路口時一定要在胸前劃十字等等，很奇怪吧？還有如果有事想要懺悔，就寫封信藏在沒有人找得到的地方，效果和去教堂向神懺悔一樣喔。這個我也時常偷偷做，這個學園裡也有我藏的懺悔信。還、還有……」

「喀啦！」似乎聽到咬什麼東西的聲音，蘇菲停下嘴巴，抬起頭來。只見拉菲小姐已經停止哭泣，正在開心地吃著餅乾。

「好、好吃嗎？」

「嗯！謝謝妳，蘇菲。實在太好吃了，也讓我有了一點勇氣。」

「嘿嘿嘿。」

「嘿嘿。」

兩人相視而笑，就好像彼此是多年密友。

蘇菲好高興，緊張的臉頰也和緩下來。其實她一直偷偷仰慕清純、凜然、可愛的拉菲小姐，如果是同學就可以成為好朋友，可是在學生和女僕之間卻是不可能的事。畢竟身分不一樣，而且穿著制服的女僕就和空氣沒什麼兩樣，根本沒有人會記住她們的長相和名字……所以才會放棄，不再有想要成為朋友的念頭。

（雖然要分離……但是能在最後一刻成為朋友，真的很高興。雖然有些寂寞……）

蘇菲如此想著之時，拉菲小姐勇敢地擦乾眼淚，對著蘇菲如此宣告：

「蘇菲，我即使只剩下孤伶伶一個人，失去父親的庇護，還是要驕傲地活下去。即使身分改變，我還是我。絕對不會忘記這件事，一直努力下去。我……」

「拉菲小姐……！」

蘇菲不禁悲從中來，忍不住哭了起來。把小狗託付給蘇菲的拉菲小姐背對著她，拖著行李箱往前走。

（再見了，拉菲小姐……真是個了不起的大小姐……）

蘇菲抱緊小狗，再次吸著鼻子。

涼爽的風似乎是要吹開兩人……

4

從涼亭圓桌底下爬出來的維多利加和一彌，在夏日明亮的陽光下，眼睛直盯那個小小的白色信封。

「為什麼這種地方會有信……咦?啊，維多利加，不行啊!怎麼可以隨便看呢！」

「唔……？」

維多利加撕開信封，抬頭以懷疑的表情仰望一彌的臉。

一彌以極為認真的表情雙手抱胸，左右搖晃腦袋：

「我不贊成。」

「什、什麼？」

「維多利加，不論妳有多麼無聊，也不能隨便翻閱人家的私人信件，還打開來看，這是要不得的事……妳多少會聽別人的話吧？」

維多利加只是隨便聽過一彌的話，毫無興趣地哼了一聲，繼續撕起信封。一彌急忙搶過信封。維多利加大叫起來，似乎大吃一驚，接著便以難以捉摸，詭異的毫無表情盯著一彌。稍微皺起眉頭，不知道是憤怒還是驚訝。

一彌也不服輸，斬釘截鐵說道：

「不行就是不行。這是別人的信，要還給主人才行。」

「……的確是你會說的話。」

「沒錯，這才是正確的做法。來，走吧。」

拉著維多利加的小手，一彌離開涼亭。對著訝異問道「要去哪裡？」的維多利加說聲：

「去主人那裡。」

「唔？」

一彌轉過頭去。被豪華的黑色洋裝與花朵飾品包住，有如華麗陶瓷娃娃的維多利加，小手被一彌拖著，雖然不情不願，也只能踏著小碎步往前走。

看到這副模樣的一彌不禁微笑：

「說是主人，應該是收信人。信封上面的收信人，是我認識的人。我們必須把這封信送到這個人手上，然後再問清楚這是怎麼回事。」

「唔……」

有點不甘心的維多利加也板起小臉蛋說道：

「也對。」

「是吧？」

「你真是個無聊的人。」

「妳管我！」

一彌拖著維多利加的手，往男生宿舍前進。那是一棟以橡木築成，裝飾繁複的豪華建築。沐浴在陽光下，外牆的木紋也在閃閃發亮。

「舍監在吧……」

一彌穿過後門，來到一樓餐廳後面的大廚房。這才發現將紅髮綁成馬尾的舍監，正叼著香菸哼著歌。搭配髮色的大紅連身洋裝胸口大膽敞開，垂下來的髮絲也因為汗水而黏在胸前。
舍監發現一彌，只是問了一聲：「怎麼啦？」之後一眼看到從一彌後方露出臉龐的維多利加便「啊！」發出叫聲，急忙整理蓬亂的頭髮，扣好連身洋裝胸前的鈕釦，打理儀容之後才「啪噠啪噠！」跑近。
維多利加像是被她嚇到，急忙退後三舍。
舍監伸長脖子打量維多利加，充滿興趣地上下左右不斷觀察，然後偏著頭發問：
「喲，多麼可愛的小姑娘！怎麼，迷路了嗎？」
一彌客氣地回答：
「舍監，她是我的朋友。」
「咦——？久城同學的朋友？唉呀。」
舍監不知為何有點不滿，不過還是重新振作精神：
「不過真是可愛的朋友，簡直就像是葛芬庭的陶瓷娃娃活過來了！唉呀！對了，小姑娘，要吃夾木莓果醬的巧克力蛋糕嗎？」
「……要。」
維多利加以微弱的聲音回答，又像是躲在一彌身後，緊緊抓住一彌和服的袖子。維多利加沙啞的聲音雖然讓舍監有點訝異，但是她立刻站起來，忙碌地在廚房裡以隔水加熱的方法熔化巧克力。

「呃，舍監……」

「久城同學，把奶油熔化。還有拿出雞蛋和砂糖。」

「是……不對，舍監。那個，關於信件。」

「手不准停。」

「是……不對……」

一彌一邊被使喚幫忙做巧克力蛋糕，一邊向舍監說起與維多利加兩人在涼亭找到的信。舍監把材料放進大缽裡用力攪拌：

「信藏在奇怪的地方？啊——那是那個嘛。有個迷信是有事想要懺悔時，只要寫在信上藏在沒人找得到的地方就成了。效果就和去教堂懺悔一樣。」

「喔～」

「當然現在已經沒有人這麼做了。這是從我祖母那裡聽來的。咦……？」

舍監把材料倒進蛋糕模型裡，一邊放入烤箱，一邊詫異地偏著頭：

「記得在很久以前，我好像對某個人說過相同的話……」

「妳說的某個人是誰啊？」

躲在一彌的衣袖後面——雖然露出一堆荷葉邊，維多利加以低沉有如老太婆的聲音問道。

舍監抖了一下，然後以恐懼的聲音說道：
「究竟是誰呢……」
偏著頭之後左右搖晃：
「啊～想不起來。」
關上烤箱的門生火，舍監轉身對著一彌：
「總之那封藏起來的懺悔信，是給我的吧？」
「是。」
一彌從袖口拿出信遞給舍監，對著以疑惑的表情接下的舍監說道：
「上面寫著『給蘇菲』。」
舍監喃喃說聲：「唉呀。」

5

聖瑪格麗特學園的正門。
穿過類似植物圖案的鐵製裝飾交纏，金色裝飾發出光芒的莊嚴正門，拉菲小姐正打算離開

學園。

拖著大型行李箱，小步向前走。

綁在頭上的奶油色蝴蝶結，在夏日卻顯得涼爽的風中搖曳。

遺憾地再次回頭，那個送她餅乾的好心女僕——蘇菲，一頭熱情的豔紅頭髮被風吹亂，還是擔心地偏著頭，一直站在原地目送拉菲小姐的背影。

拉菲小姐長嘆一口氣，以十分哀傷又後悔的模樣喃喃說道：

「已經全部吃光了……！」

丟掉空無一物的餅乾袋，臉上表情顯得不太高興，開始在尋找什麼，然後喃喃說道：

「肚子餓了……」

才剛走上通往車站的漫長村道，立刻就停下腳步的拉菲小姐正在思考。

「重新考慮一下好了。」

突然以認真的表情唸唸有詞：

「她的房間裡一定還有餅乾。而且我的肚子好餓……」

拉菲小姐突然一個轉身，拖著大行李往學園走去。

暮色已深，夏日涼冷的黑夜已近。從村道仰望天空，迫不及待的月亮已經露出渾圓蒼白的身影。

聖瑪格麗特學園遼闊的校園逐漸被暗夜控制，四處落下月光映出的暗影。

少女再度回到學園，把行李放在庭園的涼亭，開始思考起來。沉默了好一會兒，雙手抱胸思考之後，「好！」點頭起身。

傍晚的庭園空無一人，充滿詭異的寂靜。噴水池發出的水聲，聽起來也像不祥的低語。穿著小皮鞋的雙腳在草地上發出沙沙聲響。

少女終於到達蘇菲房間所在的職員宿舍建築物前方，開始回想蘇菲探頭揮手的是哪扇窗戶。那扇窗戶發出光亮，看似蘇菲的少女身影模糊浮起。

「好，試試看吧！」

拉菲小姐一面喃喃自語，一面把行李裡面「某樣東西」拿起來抱在胸前，然後拍拍制服的百褶裙……

接著便靈巧爬上職員宿舍外面的大樹。

此時的蘇菲，正在職員宿舍的房間裡垂頭喪氣。

簡單卻打理整齊的房間裡，裝飾著可愛的果醬瓶與野地摘來的小花，清潔可愛的模樣很有少女風格。坐在地上餵毛茸茸的小狗喝牛奶，蘇菲想著留下這隻小狗離開的清純大小姐。

「拉菲小姐不知道有沒有問題。她是弱不禁風的貴族小姐，在這個精明的人都免不了受騙的社會，真的能夠活下去嗎？真是令人擔心……」

嘆了口氣繼續說道：

「像我這樣勤奮精明的人當然沒問題，可是她那麼溫柔內向～」

對著小口啜飲牛奶的小狗說：「你也很擔心吧？」

不知何時外面暮色已深，蒼白的月光透過窗戶灑落屋內。蘇菲最討厭這個時間，總覺得在這個不可思議，輕飄飄的黃昏短暫時間，會出現不屬於這個世界的東西……

此時就像在呼應蘇菲的感傷，不知從何處……

嘰、嘰、嘰……

可以聽到像是金屬摩擦的怪異細小聲音傳來。

蘇菲抬頭側耳傾聽。

嘰、嘰、嘰……

聲音變得越來越大。

「那是什麼？」

總覺得是從窗外傳來。蘇菲偏著頭，正想要站起來……

另一個聲音……不，類似聲音的東西隨風傳來。

『爸爸……』

「咦?」

蘇菲急忙站起來四處張望。

一個人也沒有,只有在喝牛奶的小狗。

打開門看向走廊——沒人。

回到房間裡,聲音再度響起。

『爸爸……爸爸……』

蘇菲不由得毛骨悚然。

記得聽過這個聲音——微弱到好像在喃喃自語的少女聲音。

『爸爸,快點回來。拜託你從戰場上回來。爸爸……』

這是拉菲小姐的聲音!

感到害怕的蘇菲再次來到走廊上張望——沒有任何人。接著看向窗戶。

嘰、嘰、嘰……

依舊響著怪異的金屬聲。

嘰、嘰、嘰……

與少女悲傷的哭聲一起傳來。

蘇菲跑到窗邊打開窗戶,蒼白的月光灑落在蘇菲的小房間裡。外面是令人害怕的詭異夜

光，還有交纏有如漆黑骸骨的古老樹枝。蘇菲四下張望。這裡是宿舍的三樓，她不可能在外面才對。可是分明聽到她的聲音，於是試著以發抖的聲音呼喚：

「拉菲小姐……？」

沒有回應。

「拉菲小姐……怎麼了？妳在叫我嗎？」

沒有回答。蘇菲的胸口突然覺得很痛苦，於是大聲呼喊「有沒有人在？」還是沒有回應。感到擔心的蘇菲趕緊衝出房間，在走廊上奔跑，下了樓梯衝出宿舍，站在玄關大喊：

「拉菲小姐——!!」

蘇菲沒有看到任何人，一面感到不可思議一面回到房間，總覺得房間有點奇怪。

好像有哪裡不太一樣……

可是從這裡出去再回來的路上沒有和任何人擦肩而過，不可能有人進來。

蘇菲坐在椅子上撫摸小狗，拉開抽屜想要吃點餅乾整理思緒。

這才發現整袋的餅乾消失無蹤！

「啊，太好吃了～從來沒有吃過這麼好吃的餅乾。一旦開始吃就停不下來～啊，全部吃完了！」

在夜晚庭園中的小涼亭裡，拉菲小姐以天真的模樣吃著從蘇菲房裡拿出來的餅乾。喀啦喀啦、喀啦喀啦——全部吃完之後拍拍小肚子：

「好飽啊……」

喃喃說了一句便呆坐在原地。

清純又高雅，無可挑剔的側臉逐漸轉為青色。

好一會兒，像座銅像般坐著的拉菲小姐，最後終於臉色鐵青「啊……！」地站起來：

「我因為著迷而拿了這個東西……說不定……」

坐立不安的她擔心地挪動身體：

「說不定我、我做了類似小偷的行為……」

按住臉頰眨動大眼眸，心想應該如何是好，當場跺了幾下腳：

「啊～～我怎麼會做出這種事。要是爸爸還活著，他會怎麼說我？就在剛才，我還說過要驕傲地活下去，至今還不到一個小時。怎麼會這樣？這好像不是淑女該做的事……」

拉菲小姐就這麼按著臉頰，以嚴肅的表情煩惱個不停。

突然間眼眸發亮：

「對了，剛才蘇菲教過我做壞事之後的懺悔方法。記得是把懺悔的事寫在信上，藏在沒人找得到的地方。好……」

拉菲小姐從行李裡拿出白色信箋組開始寫信，最後在信封小小地寫上收件者『給蘇菲』。遲疑了好一陣子，將信用力塞進涼亭桌腳的小洞。

「呼……」

以辦完一件大事之後的疲憊神情，從桌子底下鑽出來：

「這樣就沒問題了。」

拉菲小姐獨自點頭，整理行李之後便拖著行李箱離開涼亭。

獨自一人在夜間的學園裡，朝著正門走去。

今天要和聖瑪格麗特學園道別了。仰望正門近似植物圖案的鐵柵欄與金色的裝飾，拉菲小姐有些悲傷地垂下大眼眸，像是鬧彆扭似地以指尖撥弄綁著奶油色蝴蝶結的棕色頭髮。

回頭以哀傷的眼神凝視沉浸在黑色絲絨般的暗沉夜色裡，莊嚴的學園校園。

張開嘴唇唸唸有詞：

「再見了，聖瑪格麗特學園。我最愛的學校……」

冰冷的風吹過。

「再見了，我的朋友……再見了，溫柔的老師……再見了，我的小狗……」

拉菲小姐留長的棕髮在風中飛舞：

「還有……再見了，在最後對我這麼溫柔的可愛女僕……」

拉菲小姐忍不住啜泣：

「大家、大家，再見了……！」

在這麼大叫之後，拉菲小姐扶正滑落的圓眼鏡，勇敢踏上村道。

嘶嘶、嘶嘶——小聲啜泣的聲音和顫抖的肩膀，隨著大型行李箱一起遠離學園正門。

拉菲小姐的嬌小身影朝著村莊前進，終於有如遭到夜晚吞噬，就此消失。

雖是夏日卻顯得寒冷的風吹過。

只留下寂靜……

以及數百年來未曾改變的祕密學園，莊嚴的校園……

6

熱風吹過暑假的聖瑪格麗特學園。

在男生宿舍的大廚房裡，維多利加與一彌兩人坐在圓椅子上，以相似的姿勢朝左偏著頭，抬頭看著靠在烤箱旁邊閱讀懺悔信的紅髮舍監。

舍監——蘇菲浮著雀斑的白皙臉頰，不知為何逐漸染上憤怒的顏色。看完信之後，抬起變得和燃燒紅髮一樣的紅色臉頰，開始低吟。

歪著頭的維多利加和一彌互看一眼，像是在問：「這是怎麼回事？」

烤箱裡傳出巧克力蛋糕的甜美香氣。

就在這時，不知何處響起輕巧有如舞蹈的女性腳步聲。踏著愉悅的腳步通過走廊，不時還發出踩到腳的怪異聲音靠近。

「蘇、蘇、蘇菲〜〜！」

加上節奏，以歌唱的方式呼喚紅髮舍監的名字，衝進廚房：

「借我錢〜〜！我把薪水花光了〜〜拿蘇菲的薪水，去蘇瓦倫買新襯衫……唉呀!?久城同學……還有維多利加同學！」

進門的人是兩人的導師塞西爾老師。她驚訝地將滑落的圓眼鏡扶好，急忙說道：

「唉呀，老師什麼都沒說喔？」

「您和舍監認識嗎？」

面對詫異詢問的一彌，塞西爾老師邊玩眼鏡邊點頭：

「對啊。畢竟蘇菲從我還是聖瑪格麗特學園學生時，就在這裡工作了。我們的感情一直很好。對吧，蘇、菲……蘇菲？」

因為塞西爾老師的聲音，一彌往舍監的方向看去。維多利加從剛才就專心盯著舍監。握著信的舍監，拳頭正在微微發抖。塞西爾老師詫異地看著她的模樣，終於注意到她握在手中的信，變得有些鬥雞眼。

「啊？」

「謝謝妳的信。隔了八年終於寄到了，塞西爾。不，是拉菲小姐……不對，我應該稱呼妳——小偷塞西爾！」

「妳、妳在說什麼！怎麼可以在學生面前！我、我絕不原諒妳！」

「不原諒我？那是我的台詞吧！」

舍監丟下信紙，兩手抓起鮮豔的紅色洋裝裙襬，露出線條美麗的長腿，往塞西爾老師跑去。塞西爾老師急忙繞著桌子：

「何必這麼生氣？這件事我們晚點再解決。學生正在看啊！我的威嚴掃地了！」

「妳哪有什麼威嚴！這就叫做賊的喊捉賊！什、什麼叫『類似小偷的行為』？怎麼看都是闖空門！什麼要驕傲地活下去！我被騙了！喂，等一下，別想逃！」

「我晚點再來借錢！」

直跺腳的舍監發出哀號般的聲音：

「才不借妳！絕對、絕對不借！」

在學園裡悶熱的庭園，花朵在夏日風中搖曳，不時傳來潺潺小溪的清涼水聲。涼亭的尖屋頂在茵綠草地落下黑色影子。遠方冒出縷縷熱氣，讓對面的景色滲入夏意。

就在如此的夏日聖瑪格麗特學園——

「那個夏天……真的、真的很辛苦。」

坐在涼亭的長椅上，塞西爾老師一邊玩著圓眼鏡一邊喃喃說道。

追上來的一彌站在她前方，用力點頭聽她說話。塞西爾老師回憶八年前的那個暑假——涼爽暑假裡發生的事，哀傷地垂下大眼眸：

「那是一九一八年——世界大戰結束那年的事。我的父親在戰場下落不明，失去所有財產，我突然變得孑然一身。因此必須在暑假離開我最愛的學園……」

懷念地瞇起眼睛，塞西爾老師開始訴說當她拖著行李箱往正門前進時，追上來的紅髮女僕的故事。以及女僕當作餞別禮物所送的餅乾非常美味，那種美味緩和了自己對未來的不安與哀傷。也因此還想要吃更多，於是就下手行竊。之後不禁感到後悔，於是寫了一封懺悔信藏在這個涼亭裡……

「塞西爾老師之後怎麼了？」

聽到一彌這麼問，塞西爾老師滿面笑容：

「父親雖然失去財產，但是總算從戰場平安歸來，而且勉強湊出能夠在這裡讀到畢業的學費。所以以學生的身分畢業之後，便成為這裡的教師。」

「原來是這樣啊……」

「在現在看來，真是令人懷念的回憶啊。」

塞西爾老師瞇起眼睛，以憂鬱的聲音開口：

「那是永遠的暑假。」

「不過，可不能當小偷。」

彌在旁邊潑冷水。

「……」

一臉心虛的塞西爾老師默默不語。

一陣風吹過，花瓣與草都在搖曳。

彌有些擔心地問道：「我很無趣嗎……？」沉溺在思緒中的塞西爾老師愣了一下：

「咦，你說什麼？」

「不，沒事……」

彌搖頭之後繼續問道：

「即使如此，老師和舍監從那以來一直都是朋友吧？」

「是啊。」

塞西爾老師愉快地點頭：

「雖然我回到學園，但是最近的我時常在想，我和蘇菲即使在當時分開無法再見，也一定還會在某處再度相遇，一定能夠成為好朋友。」

「這樣嗎……」

「對啊，一定是。只要是真正重要的朋友，即使分開也一定還會再重逢。」

一彌聽到這句話，不知為何突然想起留在宿舍廚房的維多利加。向老師告別之後離開涼亭，走在通往男子宿舍的小路上。

噴水池潺潺流水。

遠方的天空十分澄澈，大朵積雨雲浮在盛夏的碧藍天空。

一彌踩著細石路，每踏出一步就發出乾燥的聲音。

另一方面，在男子宿舍的廚房裡。

烤箱裡的巧克力蛋糕即將烤好，香甜的味道充滿整個廚房，輕輕坐在遠離舍監的圓椅子上，保持警戒的維多利加也像是抵擋不住香氣，不停抽動形狀漂亮的小巧鼻子。

紅髮舍監很有精神地打發裝飾蛋糕用的鮮奶油，一個人自言自語：

「不過即使到了現在，還是覺得不可思議。」

「……」

「塞西爾究竟是怎麼把那袋餅乾偷走的？」

「……」

「那天夜裡的事情，我還記得很清楚。因為實在太詭異了。我的確聽到三樓窗外傳來她的哭聲，當我跑到外面去卻沒有任何人。回到房間之後，餅乾就像一陣煙般消失。可是窗外沒有任何人，不論在走廊或玄關，我都沒有和她錯身而過。究竟是怎麼偷走的？」

「……會焦掉。」

維多利加在圓椅子上扭動，以好像聽得見又好像聽不見的微弱聲音提醒。而且還用食指指向烤箱，擔心地搖晃身體：

「蛋糕要……焦掉了……」

「啊啊——想不通！好在意啊！」

舍監一副心不在焉的模樣，根本沒注意烤箱裡不斷飄出的危險香氣，只顧著嘆氣。

「……」

「啊～～！」

「……」

「究竟是怎麼回事！」

「……」

維多利加一臉泫然欲泣的表情，視線往走廊的方向看去，像是在尋找一彌。

可是一彌還沒回來。

「那個，窩囊廢……！」

「嗯？妳說什麼啊，小姐？」

舍監回頭問道。

維多利加小聲「唔……」了一下，實在沒有辦法：

「我就在蛋糕焦掉之前，簡潔說明吧。」

「什麼？」

舍監一臉驚訝轉過來，低頭看著嬌小的維多利加，手上繼續專心攪拌奶油。

維多利加邊打呵欠邊說：

「首先就來說明窗外傳來的塞西爾聲音吧。」

「唉呀。」

「唔……三樓窗外傳來少女的聲音，同時還有嘰嘰的金屬聲對吧？」

「是啊。」

「妳回想一下，塞西爾帶著行李，她八成是爬上妳房間窗戶附近的樹木，把那件行李掛在樹枝上。」

舍監詫異地回問：

「妳說的行李是指什麼？」

「告訴妳，就是銀鳥籠。」

維多利加說得無趣至極，然後有如小黑貓般伸個懶腰：

「塞西爾爬到樹上，把鳥籠掛在樹上。所以只要一有風吹過，那個鳥籠就會發出嘰嘰的金屬聲。」

「可、可是妳怎麼知道？」

「妳自己說過的。塞西爾帶著鸚鵡鳥籠。」

蘇菲懷疑地偏著頭：

「嗯……？」

維多利加一面注意烤箱一面說：

「塞西爾養了小狗和鸚鵡，鸚鵡是會模仿人聲的鳥。妳聽到窗外傳來塞西爾的聲音，恐怕就是鸚鵡的模仿。妳回想那個塞西爾的聲音，應該是說著『爸爸，快點回來。拜託你從戰場上回來。爸爸……』那一定是塞西爾思念父親，每到夜裡就會喃喃自語的話語。鸚鵡記住之後就會加以模仿。」

「拉菲小姐……」

蘇菲的表情有些悲傷，不過似乎又想起被偷走的餅乾，再度一臉氣憤：

「可是她怎麼進入我的房間裡?走廊和玄關都沒有任何人，又沒有別的通道，究竟是怎麼辦到的……」

「這正是所謂『看不見的少女』。」

維多利加說得若無其事：

「妳自己不是說了嗎?『沒有人會記得女僕的長相和名字。』穿著制服走在走廊上，任誰都會以為是女僕，並且當成透明人。正因為如此，塞西爾在妳開口說話之前，完全沒有注意到妳這樣的少女。塞西爾應該是做了和妳一樣的事。」

看到蘇菲瞠目結舌，維多利加無趣說道：

「妳好好回想。在飛奔而出的走廊上，沒有看似拉菲小姐的少女，但是應該有一名穿著女僕制服的少女。在職員宿舍裡很常見，即使走在旁邊也會當成透明人，都是因為穿著魔法的服裝。妳懂了吧?」

舍監好一會兒以傻愣愣的表情看著嬌小的維多利加，然後才回過神來起身打開烤箱，取出烤得蓬鬆，看起來十分美味的巧克力蛋糕。

維多利加冰冷毫無表情的臉，稍微動了一下。

舍監在切好的蛋糕上面抹著打發的奶油時，不知何處傳來輕快的腳步聲，一隻毛茸茸白狗飛奔靠近。

維多利加小聲「啊！」了一聲。白狗搖著尾巴，眼睛亮晶晶地好像期待可以分到一點蛋糕，一直盯著舍監的手。

「這就是當時的小狗吧？」

「是啊。」

「小狗遇到侵入者偷走餅乾卻沒有叫，這正是塞西爾是犯人的證據之一。」

「這麼說來也是。」

抬起頭來的舍監，不可思議地喃喃說道。維多利加毫無表情的冰冷臉上，似乎有了一點變化——瞬間的細微變化。

「妳連作夢也沒有懷疑過她吧？」

「是啊。」

點頭的舍監以悠閒的聲音說道：

「畢竟她是非常重要的朋友。」

一彌終於回來了，舍監把切好的蛋糕也放在一彌的前面。一彌忸忸怩怩說著「像這樣的甜

食，原本是女性和小孩才會吃的東西。我是個男子漢……」之類的話，維多利加把叉子往他的側腹刺去，他才閉上嘴巴。

以不甘不願的表情，吃了一口。

然後變得一臉驚訝，再吃一口。

維多利加已經狼吞虎嚥，正在專心解決巧克力蛋糕。

窗外的陽光越來越微弱。沒有盡頭，有如會持續到永遠的今年暑假，也以確實的緩慢腳步前進……

維多利加和一彌並肩坐著——「別戳我啊，維多利加。很痛的耶！」「哼！」「妳也多少聽一下別人的話嘛？」「……」在廚房裡不斷鬥嘴……

7

涼爽的夏天。

八年前的聖瑪格麗特學園，暑假裡的某一天。

職員宿舍清潔的小房間裡，小小的紅髮女僕在窗邊撐著臉頰，抬頭看月亮。

白色小狗窩在腳邊。

脫下硬梆梆的深藍女僕制服，蘇菲換上白藍雙色格子睡衣。燃燒紅髮收入同樣花色的睡帽裡，幾絲豔紅的頭髮垂在脖子上。月光照亮在窗邊悲傷思索的小女僕。

沒有別人。

只有月亮與少女。

蘇菲垂下哀傷的眼眸，喃喃說了一句話：

「拉菲小姐……應該再也見不到面了吧……」

珍珠般的淚珠浮現眼角。

「加油喔。不論在哪裡，都要加油喔。拉菲小姐……！」

只有月光聽見小女僕哀傷的願望。

涼爽的夏天。

夜更深了……

「蘇菲……」

從聖瑪格麗特學園所在的村子駛向蘇瓦倫的夜行列車。在黑暗的夜色當中吐出黑煙，逐漸遠去的蒸氣火車。

在三等車廂人聲沓雜的角落座位，帶著行李箱與銀鸚鵡鳥籠的塞西爾，縮成一團坐著。

飽腹的感覺讓她想睡，不禁覺得自己吃太多了。

那名含著眼淚目送自己離開，先前不認識的女僕在腦中甦醒。心想如果能夠繼續留在學園裡，或許能夠和她成為朋友。蘇菲澄澈的眼眸一直離不開腦袋。

「再見了，紅髮的蘇菲……謝謝妳為這樣的我哭泣……！」

車頭發出憾動所有車廂的巨大氣笛聲通過鐵橋，不停遠離村子。

暗沉的夜色好像隨時會從關上的窗框角落侵入車廂。如此的夜間火車旅行。

因為不安與寂寞，塞西爾用力咬緊嘴唇：

「希望還能見面，見到蘇菲。如果可以，一定……」

塞西爾輕輕閉上眼眸，打算睡一下。即將入眠的低聲自言自語也被汽笛掩沒。

「一定，能成為好朋友……！」

蒸氣車頭終於渡過鐵橋，朝著首都蘇瓦倫前進，逐漸遠離八年前的夏日學園——

〈fin〉

第四章

怪盜之夏

1

依然炎熱的潤澤夏日傍晚。

聖瑪格麗特學園——

盛夏金黃色的陽光，落在從空中俯瞰呈ㄈ字型的巨大校舍。在夏日傍晚的天空下，熱風吹拂散布各色花朵的花壇、白色的噴水池，以及茵綠的草地。

在寬廣的庭園，雪白的積雨雲有如雪花在草地與校舍落下黑影。

幾乎所有的學生都和家人一起去了避暑地，接近無人，盛夏的聖瑪格麗特學園——

「維多利加，妳為什麼不進來？」

位在學園角落，外型雄偉莊嚴的男生宿舍。在大量使用橡木，有著醒目豪華裝飾的三樓，傳來少年相當困擾的聲音。

那是略帶東方口音，發音流暢的法語。

少年——久城一彌從自己位於宿舍三樓最旁邊的房間，往走廊探出頭來，善良的漆黑眼眸似乎感到很不解，還一邊振振有詞說道：

「基本上這裡是走廊，不是坐的地方。所謂的走廊就是拿來走的，維多利加。」

走廊相當靠近地板的附近，傳來覺得很愚蠢的「哼……！」聲音。

「維——多——利——加——」

「吵死人了，久城。」

地板附近響起沙啞有如老太婆，可是又帶著低沉、哀愁、詭異的聲音：

「我就是喜歡這裡，不要管我。」

「妳真像是頑固的老太婆，嗚……好痛！別踢我！拜託妳穿著靴子時不要用踢的，用手打總行吧？真的好痛啊！」

走廊的角落——就在一彌打開的房門附近，有一名坐在地上，靠著牆壁，驕傲抬起下巴的嬌小少女，又像是感到很愚蠢地「哼……！」了一聲。一彌似乎放棄了，小聲嘆口氣：

「算了，也可以。反正妳只做想做的事，根本不聽別人說話。」

「當然。」

「……」

少女——維多利加・德・布洛瓦無聊地哼著鼻子。

今天的她穿著黑白格子的俏麗洋裝，頭上纏著雪一般的白色頭飾，腳上是晶亮的漆皮編織靴子。可是不知道為什麼以這麼一身裝扮，一屁股坐在男生宿舍冰冷的走廊上，翻開褐色皮革封面的厚重書籍，雖然一臉無聊至極，卻又速度驚人地不斷閱讀。有如整束高檔絲線的漂亮金髮垂落在地，包住她的嬌小身軀。

從房間中露臉的一彌，也好像不知如何是好：

「妳因為太無聊所以來找我玩，我是很高興，可是為什麼都已經走到房間前面，卻突然不肯再往前走，而是坐在走廊上呢？」

「……因為走廊比較涼。」

一彌聞言，回頭看著自己的房間。

豪華的橡木家具。書桌、衣櫃、床。面向庭園的法式落地窗上掛著奢華的織錦窗簾。地上鋪著高級長毛地毯。

一彌看過房間地板的鬆軟地毯，再看向走廊上冰涼的木材地板。於是他返回房間，從書桌抽屜拿出某樣東西走出來。

那是個小小的桐木盒子。湊近坐在地板上，無視一彌存在的維多利加鼻子前面。維多利加捲曲的長睫毛已經碰到桐木盒子。但她卻頭也不抬，只是不耐煩地問道：

「什麼東西？」

「打開來就知道了～」

一彌說完之後就把小盒子的蓋子「啪噠！」打開。維多利加只是嫌煩地望了一眼，然後「啊！」了一聲。那雙因為無聊、傲慢與倦怠而迷濛的翡翠綠眼眸睜得老大。

就像亮晶晶的玻璃珠般渾圓小巧，色彩繽紛的糖果從小小的盒子裡現身。那是纖細手工製作，混著紅色、綠色、黃色的小糖果。看到維多利加潤澤的櫻桃小嘴微開，驚訝地盯著糖果，一彌不由得笑了。他以指尖拿起糖果，丟進發愣的維多利加嘴裡。

似乎可以感覺面無表情的維多利加，臉上稍微緩和一點……或許是自己想太多了。

「……甜甜的。」

「這是糖果。妳喜歡嗎，維多利加？這是瑠璃……我姊姊寄來的。還記得嗎？就是春天寄來藍色和服的姊姊。因為我在信上寫著有個嬌小的女性朋友，她還以為妳是個小女生，所以就把小孩子會喜歡的糖果等東西寄來給妳。對了，維多利加……」

也不知道有沒有在聽一彌說話，維多利加以接近兇暴的動作，把一彌餵給自己的糖果用臼齒喀啦喀啦咬碎，又伸出小巧渾圓的手指從小盒子裡抓起糖果塞進嘴裡。又是舔又是咬，不一會兒就全部吃光。接著抬頭看向發呆的一彌，不滿地說道：

「沒有了嗎？」

「嗯，對啊。對不起……」

維多利加突然對一彌失去興趣，乾脆地回到書籍上。對於維多利加的態度，一彌失望地低下頭，過了一會兒才開口：

「對了，這麼說來，上次姊姊寄和服過來時，那封真是信長得不得了。她說在女校畢業之後想要成為教師，結果和爸爸與哥哥吵架。爸爸好像打算把姊姊嫁給大哥以前的同學，現在是帝國陸軍軍官的男人，不過大哥和姊姊的年齡相差十歲啊。而且那個軍官還是一臉鬍鬚的國字臉，姊姊好像很討厭他。」

「唔……」

「妳沒什麼興趣吧？對了，在那封信裡面也寫到姊姊遇到的某個不可思議事件喔。從百貨公司的屋頂突然消失的中國壺。」

「說吧。」

「啊，好。」

一彌整理一下衣襟，注意到維多利加抬起頭來焦急等待，急忙回房間從抽屜裡找出姊姊的信。

看到厚厚一疊的信紙，維多利加驚訝說聲：「看起來很長呢。」一彌也點點頭：

「是啊。而且前半部幾乎都是在說爸爸和哥哥的壞話。姊姊很聰明，個性也倔強，氣勢比我強上百倍。好了，我要唸囉。」

「唔。」

一彌站在房門附近，抬頭挺胸站好，然後對著窩在腳邊的小小荷葉邊，滔滔唸起姊姊寄來的信：

「『給一彌

你好嗎？我是姊姊喲——！對了對了，告訴你，父親真的很過分耶。還有哥哥他們也很過分。他們怎麼過分……』」

一彌平靜的聲音在空無一人的學園男生宿舍響起。窗外夏日的陽光耀眼，照亮庭園的草地、白色的噴水池與五顏六色的花壇。有如融化冰塊的噴水池也發出清涼的水聲。

一隻白色小鳥飛過夏日天空。

西歐山間地區潮濕、炎熱的夏天——有如這般風景裡的兩個小點，維多利加和一彌孤伶伶地留在學園裡——

2

接著把時間稍微回溯一下。

那是發生在這年春天的事。

越過海洋，距離西歐一角的蘇瓦爾王國極為遙遠的東方海上。浮在廣大的太平洋與雄偉的中國大陸之間的小島國。

在這個國家的某個大都市。冰凍帝都的寒冬終於過去，這是在暖和大太陽，好天氣才剛來臨的春天早晨發生的事……

雖然春日陽光曬得帝都一片溫暖，但在位於郊外的名校——成安女子學校雖然老舊，但是經過細心照料的木造校舍其中一個房間裡，就讀三年級的久城瑠璃獨自低著頭。

富有光澤的黑髮垂在背上、水靈靈的漆黑大眼睛令人聯想到黑貓。配上修長的四肢，是名能夠吸引目光的東方少女。和周圍的女學生一樣穿著粉紅搭配橙黃的格子上衣與褲裙，但不同於其他少女在頭髮繫上蝴蝶結，或是梳成蓬蓬鼓起的髮髻，一頭黑髮就這麼自然垂下，給人一種野性的感覺。

鼻梁挺直，有著成熟的美貌外表。不知為何低著頭，一隻手肘頂在桌上愣愣眺望窗外的瑠璃，讓聚集在身旁的年輕少女幫忙用紅漆梳子為她梳理黑髮、把糖果塞進嘴裡、幫忙拍掉褲裙上的灰塵。

「唉……」

完全沒有注意到這些少女的所作所為，瑠璃只是連連嘆息：

「唉……」

想要討好她的少女不禁對望彼此，其中一人小聲說道：

「瑠璃小姐是怎麼回事？最近消沉的模樣實在很不尋常。」

「根本就是失魂落魄。」

「看來一定是那個，她的弟弟害的。」

少女一起板起美麗的臉蛋憤憤說道：

「就是那個弟弟！」

「叫什麼名字？一雄？一志？」

「一彌啦，一彌。久城一彌。之前就讀士官學校，小她兩歲的弟弟。沒什麼特色。」

「雖然是瑠璃小姐的弟弟，不過卻很普通。」

「該死的一彌！」

「一直都是一個人獨占瑠璃小姐。就連便當也是瑠璃小姐親手做的喔？」

「該死的一彌！」

「不過好像是到遙遠的歐洲國家留學，突然就出國了。踢開哭著求他不要走的瑠璃小姐，就這麼放聲大笑走了。男人就是這樣！」

「該死的一彌！」

「該死的一彌！」

「啊～～真可惡。」

少女的聲音有如詛咒，響徹女校的木造校舍。（其實也不用詛咒，這時的一彌在遙遠的國度被當作死神看待，早就吃了不少苦頭，但是少女根本一無所知。）

也不知道是不是聽到她們的聲音，因為弟弟出國而失魂落魄，行屍走肉有如傀儡的瑠璃傻傻地站起來，也忘記和朋友打招呼，就這麼拿著書包離開教室。

走在雖然老舊還是由歷代女學生擦得晶亮的潔淨走廊上，瑠璃無力低著頭。

有如擦上口紅的光澤豔紅嘴唇，「呼！」地一聲流出嘆息。

（啊啊，真無聊……）

（一彌不在之後，沒有取笑的對象、沒有欺負的對象、沒有疼愛的對象，我每天都過得好像笨蛋啊……）

嘆息之間，又想起前往遙遠異國的弟弟。每次從走廊窗戶看得到的外頭道路上，有穿著士官學校黑色高領制服的學生經過時，瑠璃總是不由得凝目注視。可是不論哪個學生都比不上可愛的弟弟，又讓瑠璃覺得無力。

（好孤單啊……）

在走廊上與穿著時髦洋裝的年輕女教師．芙蓉老師擦身而過。她是一名黑髮剪成摩登女性喜愛的短俏髮型，走在流行前端的老師。

瑠璃停下腳步打招呼：

「老師好～」

「唉呀，久城同學。妳好～」

面對創校以來成績最優秀的瑠璃，芙蓉老師也加以回禮。芙蓉老師接著喃喃說聲「啊，對了！」叫住瑠璃：

「久城同學，可以耽誤妳一點時間嗎？」

「是的，沒問題……」

被芙蓉老師叫住的瑠璃，跟著老師前往陽光眩目的教師辦公室。

「請坐在那邊的沙發上。」

「是……」

芙蓉老師拿來發出寶石色澤的紅茶與餅乾招待，讓瑠璃有些緊張。可愛的圓桌上放著今天早上的報紙。「帝都出現怪盜！再度偷走畫作的怪異披風男！」煽動的標題躍然紙上。

瑠璃隨意將視線落在那條新聞上，芙蓉老師也在此時走近。坐在沙發對面的芙蓉老師一面搖晃只到下巴的俐落黑色短髮，一面偏著頭說道：

「久城同學，妳是非常優秀的學生，也得到其他學生的高度信賴與喜愛。」

突然受到誇獎，瑠璃不由得有點害羞：

「謝謝老師。」

「今年從我們學校畢業之後，有什麼打算？」

「咦？」

「大部分的學生都在家人作主之下決定終身歸宿。這麼說來，老師倒是從沒聽妳提起。」

「呃……」

瑠璃咬著嘴唇。

因為最近半年以來，瑠璃每天都過得像個傻瓜，只想著弟弟的事，完全忘記選擇未來的時間已經逼近。

「那個，呃……可是我很怕男生，根本不想出嫁……」

一邊語無倫次回答，腦海裡浮現家中父親與兄長的模樣。

三個魁梧的臭男人突然一起大笑，沒頭沒腦地開始相撲，在走廊上滾來滾去，還把路過的小一彌捲入，丟進庭院裡的造景，鹿威（註：日式庭院常見的竹製裝飾品。會在蓄滿水之後反轉，發出清脆聲響）也隨著劇烈聲響遭到破壞，家裡就像大地震般劇烈搖晃。吃飯時也不顧瑠璃和一彌還在細細品味，就把飯菜一掃而空，還以此起彼落的低沉聲音呼喊「再來一碗！」「再來一碗！」「我這是第三碗了，再來一碗！」……

（啊啊，真令人腳底發冷……簡直是不同種類的生物。況且還長滿了毛，臉也是毫無意義的菱形……）

面對一臉痛苦，默默不語的瑠璃，芙蓉老師微笑說道：

「看來妳真的十分討厭男人。」

「嗯，啊。」

「嗯——嗯——既然這樣我有一個提議，希望妳可以考慮看看。」

芙蓉老師說出讓瑠璃大吃一驚的話：

「妳有沒有意願在畢業之後，成為這所女校的教師？我認為未來將會有大量西洋文化與不同的思考方式傳入，是一個嶄新的時代。不論學生或是教師，都必須一起學習許多新的事物。老師認為成績優秀又受歡迎的妳非常適合。」

「……！」

瑠璃雖然一時愣住，但臉上表情慢慢亮了起來。

（是啊，原來還有這樣的路……）

瑠璃感覺眼前似乎突然變得開闊。

「芙蓉老師，我要回家和父親、哥哥商量。」

瑠璃說完之後便興奮地走出教師辦公室。

帝都的春天，在散落的櫻花和最近流行的汽車轟隆引擎聲點綴之下，是個晴朗而有些忙碌的春天。

從女校飛奔而出的瑠璃，不顧在高級轎車與制服司機接送下踏上歸途的同學，一個人跳上心愛的腳踏車瀟灑奔馳。沒有綁起的黑色長髮，與深色褲裙的下襬在春風拂動之下飛舞。

「叮鈴叮鈴～～！」鳴響腳踏車的車鈴，瑠璃繞過街角，有個青年從紅磚建造的洋房另一頭衝過來。他穿著和服與木屐，年約二十出頭，相貌端正頗有男子氣概。但是不知為何背著一個以包袱巾包起的巨大方形物體。

「唉呀！」

「哇……！」

相貌堂堂的青年正想要向急忙剎住腳踏車的瑠璃道歉，突然看見瑠璃的臉，像是嚇了一跳似地睜大眼睛。

「怎、怎麼了？」

「咦？妳還真是個美人啊。妳叫什麼名字？我是吉良，吉良由之介。」

真是粗魯的讚賞。天真的女學生應該會臉紅害羞，可是這時的瑠璃腦裡全是弟弟和將來的事，只是愣愣說聲：

「我不能把名字告訴不認識的人喔……？」

說完之後又跨上腳踏車，瀟灑地揚長而去。

只留下身後張大嘴巴、背著四方包袱巾的帥氣青年……

3

「是嗎，你姊姊在回家路上遇到一名帥氣青年……」

維多利加根本無意隱藏無聊，一邊大打呵欠一邊開口。

這裡是海之彼岸的蘇瓦爾王國，聳立於山間的莊嚴學園，男子宿舍空無一人的三樓走廊。

除了靠在門上朗讀長信的一彌，與坐在地板上呵欠連連的維多利加之外，宿舍裡沒有任何人影。

「大壺是什麼時候出現，什麼時候消失的啊？」

「再等一下嘛。之後會出現另一個不帥的人，大壺消失還要再等一下。」

「那就快唸啊。」

「是是是……」

4

好了，這裡是遙遠海洋另一端的東方小島國。季節回到春暖花開時分，同一天的傍晚。

久城家在帝都西端某個閑靜住宅區的一角。瑠璃的女同學當中，大多都是子爵家女兒之類的貴族千金，每日都在努力想要把瑠璃拉入她們的小圈子裡，不過久城瑠璃出身的家庭——久城家，雖說是頗有淵源的武門家系，但是並未擁有貴族頭銜。

久城家的房子是古老的武家建築，有著漆黑的屋瓦與粗糙的大門。巨大的門柱上掛著一個父親全心全意用毛筆寫下「久城」兩字的威武門牌。

「呼……」

想起到子爵千金家裡玩時，愛上的西式洋房、瓷盤和所謂「Art Deco」的可愛家具，瑠璃不由得嘆了口氣。

（這間房子，就和爸爸、哥哥的個性一模一樣。粗糙、巨大、充滿壓迫感。啐，真希望我們家也是「Art Deco」……）

想著想著，想起今天必須討論關於未來前途的事，瑠璃把心思拉了回來。借用父親的話，就是「勒緊褲帶」。

瑠璃打開玄關拉門，脫下草鞋，踏入雖是黃昏卻已顯得陰暗的武家宅邸長廊……

突然冒出來一張完全不像這個世界的東西，滿是鬍子的漆黑四方臉。

「嗚!?」

瑠璃就像農家院子裡脖子被掐住的母雞，發出奇怪的聲音。身分不明，滿臉鬍子的魁梧男子聽到這個怪聲，左右張望之後才低下頭，看著瑠璃位在遙遠下方，白皙、高雅有如淨瑠璃人形（註：一種日本的木偶戲）的美麗臉龐。

咕哇——張開著嘴，然後以震動空氣的巨大聲量開口：

「失敬了！」

「哇啊啊啊啊啊啊啊啊！」

瑠璃發出垂死的叫聲，忍不住跳了起來。後腦杓就這麼撞上走廊牆壁，不禁頭昏腦脹。魁梧男子雖然目瞪口呆看著她的模樣，不過似乎感到相當有趣，忍不住仰身「啊哈哈哈哈哈！」大笑出聲。

瑠璃真的嚇了一跳。仔細看過魁梧男子，發現他戴著階級標示閃閃發亮的軍帽，身披厚重的卡其色披風，腰上掛著日本刀，是街上常見的帝國陸軍軍官打扮。雖然外表和父親、兄長接近，不過體形比他們大上兩號。獰獰的鬍子一點也不像正常人。

「呃、呃，我先告退了！」

受到驚嚇的瑠璃總算恢復正常，開口說完之後就沿著走廊奔跑，只想離他越遠越好，連忙快步逃走。

「嫁給剛才那個人……!?」

過了數刻——

在父親的書房裡，單腳跪在榻榻米上的瑠璃忍不住尖聲大叫。

沉默的父親以菁英軍官的態度捻過八字鬍。想了一下便以懷裡掏出的扇子「啪！」地敲了瑠璃的膝蓋。

「好痛！」

「年輕女孩竟然在父親面前單腳跪在榻榻米上，真是丟臉。還不坐好！」

「笨蛋！我最討厭爸爸了！」

瑠璃立刻回了一句，父親一臉驚訝，面向旁邊小聲說道：

「奇怪……要是一彌肯定會乖乖聽話。不懂……我到現在還是不懂這個孩子……」

「什麼？」

「別這麼激動，豈不是糟蹋那張漂亮的臉。難得長得像母親……」

「……」

「唉呀，冷靜一點聽我說。剛才應該在走廊見過面了吧？他就是武者小路。妳還記得嗎？他是泰博就讀士官學校時最要好的同學。」

久城家的一家之主，身居陸軍要務，哭泣小孩聽到他的名字也要噤聲的帝國軍人戰戰兢兢窺探女兒的表情，只見瑠璃噘起嘴巴，一臉不滿地沉默不語。

「喂，瑠璃……？瑠璃？我不懂妳的表情……」

各種痛苦的往事有如刺眼的走馬燈，在瑠璃的腦中急馳而過。

小時候和可愛的弟弟一彌一起辦家家酒、一起念書。可是高大魯莽，年長十歲的大哥泰博和他的同學，時常破壞如此安穩有如樂園的日常生活。

學生時代的他們每天晚上都聚在大哥的房間喝酒吵鬧，激烈爭論這個國家的將來，一彌只不過是走在走廊上，還用自以為是疼愛的動作，把他舉起來扔來扔去，最後甚至落地受傷。過了半夜，酩酊大醉的他們還會肩併著肩一邊唱歌一邊哭，說些下流話哈哈大笑，就連瑠璃也時常因為受不了晚上的大吵大鬧而冒出蕁麻疹。

曾經有一次「喔！這是泰博的妹妹啊。唉呀，真可愛。」有個人把她抱起來摸摸頭，瑠璃忍不住大叫：「討厭！」那個人也被大哥從背後狠狠揍了一拳。

腦中走馬燈結束，瑠璃拚命壓抑頭昏目眩的感覺，搖搖晃晃說道：

「我、我不能嫁給那種大我十歲，而且素不相識的人啊……？」

「不過對方可是很有誠意。」

「什麼!?」

「聽說是泰博和他約好，如果妹妹沒有夫家，就要把妹妹嫁給他。泰博還說只怕他嫌棄這個野丫頭，可是對方也表示完全不要緊，所以泰博打算趁對方還沒改變心意之前，把這件事定下來。瑠璃，妳也已經十七歲了，可以嫁了。趁著這個機會，不管嫁給誰都好，快點嫁一嫁吧。啊，我記得寬也是這麼說。」

寬是她的二哥，雖然身材魁梧，不過興趣卻是發明，是個有點怪異的人。現在也在後面的房間，利用電力進行實驗。類似爆炸的怪聲，燒焦的臭味，激烈咳嗽的聲音也時常傳到位於書房的瑠璃等人耳裡。

「爸、爸爸……」

瑠璃起身站在榻榻米上。黑髮因為無處發洩的憤怒與悲傷而飛舞，父親的八字鬍也受到影響開始搖晃。

瑠璃以戰戰兢兢的模樣加以婉拒：

「我、我……其實，今天有人問我願不願意成為女子學校的教師。在新的時代裡，一定有許多可以學習，也有許多可以教導別人的事……」

父親用鼻子笑了一聲：

「女孩子不用想太多，這件事就由我去學校幫妳拒絕。」

瑠璃的眼角浮起眼淚，聲音因為憤怒與哀傷而顫抖：

「我才不想乖乖聽從像爸爸或哥哥這種，不問人家意見就擅自決定人家婚事，自以為是的人說的話……！」

瑠璃為了掩飾淚水，不由得拿起一個石刻書擋，只是突然間怒意壓過悲傷——

「嗚哇！」

把書擋丟出去。書擋原本撐住的厚重字典紛紛掉落在地。

「喂！鬧夠了沒有，這匹瘋馬！好痛痛痛痛！」

不理會父親的叫聲，瑠璃逕自衝出書房。

這天夜裡——

瑠璃流著不甘心的眼淚，獨自坐在書桌前面。位在武家宅邸中央的大屋子裡，父親和兄長正在宴請訪客武者小路。他們似乎正在決定瑠璃出嫁的事，還口口聲聲說著「瑠璃就拜託你了」、「要好好管教她」、「女人就是要下馬威」之類亂七八糟的話。

瑠璃以顫抖的手握住筆，寫著寄給一彌的長信。

『給一彌

你好嗎？我是姊姊喲——！對了對了，告訴你，父親真的很過分耶。還有哥哥他們也很過分。他們怎麼過分……』

越寫越覺得不甘心，開始綿綿不絕寫下事情的來龍去脈。

正寫著不知道能不能成為女校教師時，突然想到一彌現在所在的地方是歐洲，如果真的成為教師，當然想穿洋裝——

『我想要三件棉質白襯衫……要選有可愛衣領的喲！還有，蘇格蘭格子紋衣領，皮鞋要深褐色，鞋尖還要附有裝飾，以及繡花襪子和玻璃鋼筆。當然也不能缺了墨水。呃，還有……』

開始寫下各種想要拜託一彌幫忙買的東西清單。

想起那些漂亮又可愛的東西，心情總算平靜下來。

然後從可愛東西想起一彌寄來的信中寫到『有一個嬌小的女性朋友』。既然拜託他買那麼多東西，也該寄點東西過去，於是決定找出小時候常穿的漂亮水藍色和服，一起寄過去。

（記得應該是收在倉庫裡……還有粉紅色的衣帶呢。呃……）

瑠璃走在陰暗的走廊上，打開倉庫的拉門「啪！」一聲點亮小燈泡。就在墊起腳尖，把手伸到櫃子上時，倉庫裡突然變暗。

一個巨大身影遮住小燈泡的光線。滿面鬍鬚的魁梧男子，正是武者小路。巨大的影子鋪天蓋地逼進瑠璃。瑠璃因為恐懼而全身僵硬，但是武者小路卻笑容滿面說道：

「這個嗎？」

「呃，不用您的幫忙，我自己也拿得到……」

正當她想拒絕時，武者小路已經伸出一隻手拿下和服。瑠璃有些不甘心地道謝：

「謝謝……」

「不客氣！」

正想離開的武者小路突然停下腳步，視線落在瑠璃手上拿著的水藍色和服，小聲「啊！」了一聲之後開口：

「瑠璃小姐，妳、那件、和服……」

「怎麼了？」

「沒、沒有。沒事……什麼事也沒有。」

武者小路滿是鬍鬚的四方臉不知為何變紅，然後急忙離開倉庫，大步走上走廊。

5

「壺！壺！壺呢？久城！」

「好痛、好痛！別踢了，維多利加。我看妳才是抓狂的小馬吧？我受不了了！」

——這裡是海洋另一端的遙遠異國，西歐的蘇瓦爾王國。

莊嚴的學園裡，空無一人的夏日男生宿舍三樓走廊上，不滿的維多利加鼓著薔薇色臉頰，穿著漆皮編織靴子的可愛小腳，正在猛踢一彌的小腿。

痛到受不了而跳起來的一彌，忍不住逃進房間裡。對於已經決定要賴在走廊冰涼地板上的維多利加來說，那裡似乎有看不到的結界，絲毫不肯踏入一彌的房間一步。

「……大壺呢？」

維多利加又以低沉、哀傷的沙啞聲音喃喃說著：

「無聊……」

竄到房間書桌前避難的一彌，一面搓著吃痛的小腿一面回答：

「接下來就會出現了。」

「立刻給我消失。」

「出現之後就會立刻就消失了。妳真的很任性耶！真是的，就算姊姊寄糖果來我也不分妳了……對不起，騙妳的，我去拿來就是。拜託妳不要露出這種表情！這樣犯規！」

發現維多利加的眼眸彷彿十分震驚地睜得老大，潤澤的櫻桃小嘴也抖個不停，一彌急忙加以安撫。然後嘆口氣：

「那我繼續唸下去囉。這件事發生在當週的週末。姊姊和同學一起前往帝都最大的百貨公司……」

6

位於櫸樹林立的大馬路旁的松山堂百貨公司，在帝都是以貨色齊全，裝潢氣派豪華而大受紳士淑女歡迎。

那個週末，瑠璃為了散心，便約了一名同學，也是天真無邪的貴族千金一起逛街。

讓隨從在百貨公司前等著，瑠璃和貴族千金手牽著手進入百貨公司。蓄著短髮，穿著洋裝的時髦店員不斷拿出嶄新設計的文具、衣帶飾品加以展示。

愉快看著這些東西的兩人，突然聽到「咦，妳是？」的男子聲音。瑠璃抬起臉來，眼前站著一位似乎在哪裡見過的帥氣青年。

正當她發愣時，青年說了一句：

「我是吉良，妳還記得嗎？一週裡面可以遇到兩次，真是偶然啊！」

「啊……」

「難得能夠遇到美女，可是真不巧，我現在正好有急事。太遺憾了！」

只見他悔恨地喃喃說道，然後便快步離開。

「瑠璃小姐，剛才那是誰啊？」

「這個嘛，我也不認識……」

一名店員注意到偏著頭的瑠璃，於是過來打招呼：

「頂樓的大廳正在展示中國的珍貴藝術品。兩位小姐如果方便，要不要去看看呢？」

瑠璃與同學對望，去看看吧——於是兩個人便搭上電梯，往頂樓的大廳前進。

大廳整齊排列中國的衣物、家具與巨大的壺等等。百貨公司的高層注意到貴族千金的身影，急忙靠近並且恭敬行禮。瑠璃和貴族千金在大廳裡閒逛。據說這裡每一樣都是國寶，價格也是天文數字。

「真是不得了。啊，咦……那是？」

一面喃喃自語一面回頭的瑠璃也啞口無言。

因為貴族千金撞到大壺，壺也跟著滾下來。

大壺與貴族千金一起跌倒。瑠璃的運動神經原本就很好，小時候還曾經為了被媽媽責罵，關在倉庫裡的弟弟，攀上外牆從倉庫窗戶丟飯糰進去。雖然一瞬間不知道如何是好，不過立即決定不管大壺，踢著地板往即將倒地受重傷的同學跳去，用雙手牢牢抱住她。

「瑠璃！」

漫不經心的貴族千金發出感激的叫聲。

背後傳來微微的「喀啷——」聲響。

瑠璃戰戰兢兢回頭一看，大壺已經破成兩半。

（不會吧!?）

看過周圍才發現她們正好被攤開展示的服裝遮住，大廳裡的人們看不到這裡。瑠璃迅速扶起驚嚇過度，嘴裡直說「怎、怎麼辦？」的貴族千金，撿起破成兩半的大壺，放回原來的位置，硬是把它拼湊起來。

乍看之下好像恢復原狀，可是只要一有震動就會抖個不停。

（我就算了，絕對不能讓她捲入這件事。中國大壺被身分高貴的人打破，事情將會變得很不得了。要低調讓她逃走才行……）

瑠璃拉著貴族千金的手，準備離開壺的旁邊。

（要是被人發現，就當做是我打破的。啊——可是說不定會被要求高額的賠償。不知道家裡會變成怎樣……）

眼見大壺好像隨時都會裂成兩半掉下來，瑠璃趕緊拖著雙腳發軟的貴族千金往大廳出口的方向走去。

到達百貨公司一樓，讓嚇破膽的貴族千金搭上隨從準備好的車子，瑠璃總算鬆了口氣。剛才還是黃昏，現在天色已經完全黑了。站在夜風之中發呆的瑠璃，只聽到有人「噠噠噠噠……」跑過來的腳步聲。

回頭一看，又是那名帥氣青年——吉良，而且還帶著用包袱巾包起來的大件行李。正當她心想這個人買了不少東西時，吉良也發現瑠璃，於是舉起一隻手打招呼，然後匆忙越過斑馬線離開。

背後傳來議論紛紛的吵雜聲音，感到在意的瑠璃回頭一看，聽到好像發生什麼事的低語，不禁心中一驚，忍不住豎起耳朵。

（難道是壺的事情被發現了？）

結果……

「聽說怪盜出現了。」

瑠璃一臉訝異。

（好、好像不是。）

「聽說是黑披風怪盜現身，飛在空中就消失了。」

（這、這是怎麼回事？）

好像和自己無關，這麼想著的瑠璃正要轉身走開時，突然聽到「壺……」的字句。瑠璃急忙闖進正在交頭接耳的人群之中：

「請問壺怎麼了嗎？」

一問之下才聽說瑠璃她們離開之後，最上層的大廳突然燈光全暗，接著便出現黑披風怪盜。偷走中國大壺的怪盜完全不把警衛看在眼裡，從窗戶離開就往屋頂爬去。

然後揮舞披風飛了起來，消失在夜空裡……

（這是怎麼回事？）

瑠璃偏著頭離開百貨公司往前走。

（從屋頂飛向夜空，根本不是一般人做得到的事。而且他雖然把壺偷走，可是那個壺早就破了。難不成我們在怪盜偷走看上的壺之前，就把壺打破了。唔……）

陷入沉思之中的瑠璃，卻在百貨公司旁邊的小路和最不想遇到的人遇個正著。身材魁梧，

滿臉鬍子的陸軍軍官，記得是叫武者小路……

「唉呀，瑠璃小姐。」

武者小路一臉愉快地打招呼，可是瑠璃卻板起臉來。

夜空出現星星，帶著涼意的風吹動瑠璃的黑色長髮，武者小路似乎感到有些眩目，滿是鬍鬚的四方臉上的眼睛也瞇起來。掛在百貨公司牆上的垂幕，也和瑠璃的頭髮一起飛舞。

「真是奇遇。來買東西嗎？」

沒有好臉色的瑠璃雖然想要立刻走開，可是還是很在意現在占據腦袋的問題，於是便對武者小路問道：

「聽說松山堂百貨公司裡出現怪盜，現在正鬧成一團。和小說一樣，你不覺得有趣嗎？」

「怪盜？小說？哈哈哈，真無聊。」

武者小路露出無憂無慮的笑容。他的語氣和父親兄長很像，讓瑠璃頓時怒火中燒。正當她準備調頭就走時，武者小路反問一句：

「怎麼啦？怎麼還是一樣，一見面就生氣。」

「不用你管！」

回頭的瑠璃忍不住大叫，然後垂下頭繼續說道：

「嗯，武者小路先生。我不知道父親和兄長說了什麼，但是我在現在這個階段，並沒有出嫁的打算。」

沒有聽到回應的她偷偷抬起頭，只見武者小路一臉露骨的不悅神情。「真是容易了解的表情啊……」正當她這麼想著之時——

「究竟是，怎麼回事……？」

「怎麼回事？那個……因為我有個目標。」

「目標？」

「其實……」

瑠璃猶豫了一會兒，下定決心說出想說的話：

「其實我現在就讀的成安女子學校，問我要不要在畢業之後擔任教師。對我來說，這是一個很有魅力的邀約。所以不論父親與哥哥怎麼說，現在的我都無法和武者小路先生或者任何人結婚。」

瑠璃很緊張。

女孩子呢……爸爸的話語在腦裡復甦。

想起總是在實行之前先說妳做不到、不可能之類的話加以否定的父親與兄長，以及一直忍受這些，個性可愛又老實的弟弟。在某一天自己決定要前往遙遠國度的一彌，那對總是帶著些許悲傷的眼眸。對於這樣的選擇也許還會加以否定的頑固父親——

瑠璃雖然這麼想，仍然繼續說下去：

「我……說真的，以前從來沒有這麼認真思考未來的事。但是武者小路先生，當我聽到這個邀請時，第一次思考自己的未來。這才發現自己已經不是小孩，總不能老是擔心前往遠方的弟弟，必須決定自己的未來才行。就在那時，我才發現我對於所謂的未來非常不安，但是即使如此，我還是認為一定會有新的發現與希望。所以……」

「……」

武者小路沉默不語。

他或許已經受夠我了──這是瑠璃的想法。為了掩飾膽怯的心，她突然伸出右手：

「事情就是這樣，武者小路先生。」

「……」

武者小路沒有握住瑠璃伸出的右手，只是沉默地俯視她。

（唉呀……？）

巨大的身體與滿面鬍鬚，以及臉上總覺似曾相識的兩顆漆黑眼眸，正在默默俯視瑠璃。從小時候就十分熟悉，那對漆黑、善良又帶點悲傷的眼眸。

瑠璃不禁感到疑惑。

（這對眼眸究竟像誰……？）

一直盯著她的武者小路突然不發一語轉過身。那個比父親、兄長更要魁梧寬闊的背影，陸軍的卡其色外套正在發出粗糙的磨擦聲。

「呃，那個……武者小路先生……？」

對於瑠璃的呼喚聲，武者小路頭也不回，只是沿著小路大步走開，什麼也沒說。瑠璃只能愣愣目送遠去的背影。

夜空浮現蒼白的月亮。

武者小路造訪久城家，是下週過了一半之後的事。武者小路看也不看對此事感到懷疑的瑠璃，直接進入父親的書房，與父親聊了很久。

（究竟是什麼事……？）

瑠璃還是很在意，於是在走廊豎起耳朵，但是什麼也聽不到。

門終於打開，武者小路獨自一人出來。在走廊上偷聽的瑠璃嚇得跳起來，可是武者小路只是輕輕瞥了一眼，毫不在意地鞠躬之後便往前走。

瑠璃注意到他有一點奇怪。

一如往常的陸軍軍官制服，還有繫在腰上的日本刀。

右手的姆指不知為何正在滴血。

「那個，你流血了……！」

「啊……沒事，這點小事完全不打緊。」

武者小路只說了這句話，就乾脆離開久城家。

那天夜裡，瑠璃被父親叫到書房。父親在沉重的氣氛裡告訴瑠璃，武者小路已經主動取消婚事。

「妳就做妳想做的事吧。」

聽完父親的話，瑠璃離開書房。走在陰暗的走廊上，不知為何有股哀傷的心情。

（男方主動取消婚事……）

垂頭喪氣，想起武者小路滿是鬍鬚的臉。

（雖然說不嫁的人是我……）

不知為何感到心情沉重，不由得嘆氣連連。

「對了……寬哥、寬哥！我可以問你一、下……？」

正要打開後面的和室，也就是二哥實驗室的紙門時，突然傳出好大的爆炸聲。從充滿黑煙的房間裡，走出一名穿著皺巴巴和服，戴著黑框眼鏡的魁梧男子。

「妳叫我嗎，瑠璃？」

「咳、咳，哥哥，那個……沒事。你要小心啊。」

瑠璃一邊咳嗽一邊離開二哥的實驗室。

7

「……到這裡為止，是和水藍和服一起寄來的這疊厚信裡的內容。」

這是海洋的另一端，位於西歐山間的聖瑪格麗特學園一角。

一彌把信紙折起，收入和服衣袖裡，拿回房間裡收好。然後從書桌的抽屜裡面拿出另一封信走來。

也不知道維多利加有沒有仔細聆聽一彌朗讀信件的內容，只見她一面打哈欠一面翻閱厚重的書籍，裝作毫無所知。

只不過從美麗有如絲線的金色長髮之間露出的小巧耳朵，偶爾會豎立起來，就像在表示她正專心聽著。注意到這一點的一彌點點頭：

「接下來呢，維多利加。這是在那一個月之後，和剛才的亮晶晶糖果一起寄來的第二封信。我也來唸一下吧。」

「唔……」

「嗯？怎麼了？」

「唔……快唸啊。」

滿臉笑容的一彌抬頭挺胸，再度朗讀信件。

8

就在突如其來的親事，如同出現一般突然消失的那個春天過了一個月。

久城瑠璃在芙蓉老師的指導之下，為了成為女校的教師，不停持續特別的課程。比在教室裡學到的更加困難、更加辛苦，可是瑠璃在心裡想著：

（在海洋另一端的外國，孤伶伶念書的弟弟一定比我更辛苦吧？我要加油才行。）

以芙蓉老師都感到驚訝的毅力努力奮鬥。

（我做得到，我一定要向爸爸和哥哥證明。還有那個……）

感到屈辱的瑠璃，臉頰有點發紅。

想起不願握住自己伸出的手，默默離開的魁梧男子。

越想越氣。當天的瑠璃在放學的讀書會之後，也騎著腳踏車在石板路上奔馳，任由黑色長

髮在風中飛舞。

途中看到陳列多種漂亮糖果的攤販，便停下腳踏車，買了許多糖果想要寄給弟弟。

背後有聲音傳來，出聲的人好像在哪裡見過——正是那名帥氣的青年．吉良。他依舊背著大大的四方包袱巾，不過大小好像和上次不一樣……

「咦，妳是……？」

「我們還真是時常遇到。對了，我請妳到這家店吧。」

吉良指著甜點店的招牌。瑠璃正感到猶豫，吉良不知為何以有點著急的強硬口氣問道：

「難道沒有父親的允許，就不能隨便繞路嗎？」

「當、當然可以！」

瑠璃的回答也有點賭氣，不過還是跟著吉良進入甜點店。

甜點店外面的路上出現幾個制服警察正在大喊：

「是怪盜，怪盜又出現了！」

「畫被偷了，快搜。還在這附近……！」

然後啪噠啪噠跑過……

進入店裡坐定位之後，瑠璃點了蜜豆冰，吉良點了冰淇淋。端來之後瑠璃只是專心吃著，於是吉良先開口：

「回想起來，上次是在百貨公司附近遇到妳。」

瑠璃心中一驚，低頭回了一句：

「咦？嗯。」

「妳在那之後和一名相當魁梧的男子在一起吧？他穿著陸軍軍官制服，還留鬍鬚。」

瑠璃又是一驚。

（他指的是武、武者小路先生……）

吉良嗤嗤笑道：

「你和那個粗魯的男人是什麼關係？妳板著一張臉，不過對方倒是很高興。真是從沒見過的怪異組合。畢竟妳如果和那個傢伙站在一起，簡直就是美女與野獸啊。」

瑠璃一臉不悅。

（這個人真是的，怎麼可以這樣批評別人的外表……）

吉良沒有注意到瑠璃的表情，繼續說道：

「真是的，那麼粗魯的男人，根本沒有任何女孩會接近他吧？未來的時代，男人就是得要聰明靈巧才行。」

瑠璃逐漸想起武者小路默默聽著自己訴說未來夢想的表情，然後以似乎在哪裡見過，令人

感到懷念的不可思議眼眸，默默俯視自己……

（對了。那對眼眸和弟弟有一點像。）

瑠璃總算想起來了。

（那個人在那個時候，究竟在想些什麼……？）

吉良還是說個不停：

「雖說是陸軍的菁英軍官，竟然有膽量接近像妳這樣的美人，那傢伙到底有沒有照過鏡子啊……咦，妳？」

瑠璃站起來，把自己應付的錢放在桌子上，快步離開甜點店。

從甜點店飛奔而出的瑠璃踏上腳踏車，騎在石板路上。

到達久城家門口，下腳踏車時，玄關正好「喀啦喀啦！」打開，出現二哥寬的壯碩身影。還是一樣皺巴巴的和服和黑框眼鏡，不過一向亂七八糟的頭髮今天不知道為何整齊梳理——對他來說這樣已經算是特地打扮。

寬一看到一臉不高興回家的瑠璃，急忙說道：

「瑠璃，陪我去買東西。」

「才不要。」

「好啦、好啦。」

也不知道是否聽到回答，二哥緊握漂亮妹妹的手，擅自就往前走。把遭到風吹雨打，已經變色的木屐踩得喀啦喀啦作響，不斷前進。

「真是的，我才剛回家呢。怎麼了，寬哥？」

「就說我想要去買東西。買東西。」

「你自己去吧。」

「不過，可是……我不知道女孩子喜歡什麼。」

瑠璃不由自主一臉驚訝。

（女、女孩子喜歡的東西……？寬哥竟然想買這種東西？打從我出生以來，就只看過他用大碗公吃飯，做怪實驗的模樣。究竟是怎麼回事？）

難不成是有女朋友了——這個念頭瞬間浮現，但是仔細一想，又覺得二哥絕對不可能。

兄妹來到有許多小地攤的老街一角。一邊幫忙挑選可愛的頭簪、衣帶飾品、束口袋之類的小東西，瑠璃開始向二哥抱怨最近的不滿：

「爸爸擅自決定武者小路提出的親事，固然令人生氣，可是就這麼被對方拒絕，我也覺得很生氣啊。」

「哈哈哈，瑠璃這麼漂亮還被男人拒絕，當然會生氣啊。真是有趣。」

也不知道寬有沒有在聽，他只是一邊挑選頭簪，一邊隨便回答。瑠璃生氣了：

「可是……」

「瑠璃，妳真的什麼都記不得了？」

「記得什麼？」

「還問我什麼？就是武者小路啊。十年又一個月之前，當時的妳只有七歲，泰博大哥的同學來家裡玩，妳被其中一個人抱起來，說著真可愛，要不要嫁給我啊，結果妳就勃然大怒，說聲『討厭！』之後就逃走了。我也看到這一幕，忍不住大笑起來。那名學生受到很大的打擊，甚至為之消沉。當時的妳穿著水藍色和服，綁著粉紅色腰帶。雖然我們都忘記了，可是當時的學生……武者小路卻在十年之後依然記得，還說當時的妳好可愛。」

「咦……？」

瑠璃不由得抱著頭，從悠閒的二哥手上搶過頭簪：

「這件事我還記得……這麼說來，當時的學生就是武者小路先生？」

「是啊。之後武者小路還對泰博大哥說：『你妹妹好可愛，嫁給我吧。』當時的我比大哥還要生氣，抓住那個小子，問他在說什麼鬼話。如果是認真的，十年之後再提，不准開我可愛妹妹的玩笑。」

「……」

「不過我也忘記自己說過的話，就在正好經過十年的上個月，他就來了。我還不知道他對妳這麼認真呢。哈哈哈，真是有趣。」

「……」

瑠璃又抱住頭，然後一邊玩著地攤上的頭簪一邊說：

「可是如果這樣，為什麼會突然解除婚約?難道因為過了十年，我變了很多的關係……?」

「哈哈哈，妳完全沒變，在胡說什麼啊?十年前是『討厭!』十年後還是『討厭!』嘴巴說著相同的話，就連長相也是一樣。」

「那又是為什麼……」

買些女孩子喜歡的東西，瑠璃卻垂頭喪氣陷入沉思。

回家的路上，注意到瑠璃似乎還在胡思亂想，沒有辦法的寬只得開口：

「……妳要保密，不能說是從我這裡聽到的。」

「什麼?」

「婚約沒有解除。父親和武者小路好像達成某種協議。因為妳說要成為教師，武者小路也建議讓妳試試看。經過父親詢問，武者小路表示十年之後他會再來。」

「十年之後!?」

嚇了一跳的瑠璃驚叫出聲。

「哈哈哈。總之武者小路在父親寫的字據按下血手印之後就回去了，父親也為此感到安心。所以等到十年之後，就在大家都已經忘記時，他又會再度出現吧。」

「所以他的手指才會流血……」

瑠璃安靜不語地走在二哥身旁，突然想起那天夜裡，默默聽著自己說話的武者小路沉靜的眼眸，以及不願握住自己伸出的手，快步離去的寬闊背影。

然後有如走馬燈一般，想起之後久城家的狀況。

原本堅決反對，不知為何突然態度軟化的父親。顧左右而言他的兄長。欲言又止的母親。什麼都沒發現的瑠璃只想要靠自己的力量克服困難，不斷努力念書……

啊——自己多麼驕傲、多麼小心眼。

瑠璃的臉頰因為害羞染得一片紅。

咬住嘴唇，不知為何有種不甘心的奇怪心情。

（原來是這樣……是武者小路的約定，保護了我……）

以硬擠出來的聲音向身旁悠閒走著的二哥表示：

「二哥，可是，我、我……我不喜歡像這樣被男人保護。我一直都討厭男人。」

「可是即使如此，如果有人仍然願意保護妳，那麼接受也沒關係啊。」

寬說得很悠閒，瑠璃還是搖搖頭：

「我果然還是討厭武者小路先生……」

「既然這樣，十年後再跟他說一次就好了。」

寬邊說邊看向放了許多逛街戰利品的袋子。

頭簪、衣帶飾品、束口袋……若有所思瞇起眼睛來的模樣，讓瑠璃突然想到：

「啊！對了，二哥，那個女生是誰？如果有什麼進展可要告訴我喔。」

「什、什麼？少囉嗦，我才沒有女朋友。誰會把那種丟臉的事情告訴別人。放開我，瑠璃。還有不准告訴任何人，這是『薔薇花下』的事喔！」

「啊？你說薔薇什麼？」

「沒事沒事。快點放手，會痛耶！我說會痛啦！妳這個丫頭！」

在兄妹打打鬧鬧之間，已經回到久城家。兩人以若無其事的表情走過玄關，「我回來了！」向父母打招呼。

當天夜裡——

瑠璃打算把今日買來的漂亮糖果寄給弟弟，打包起來一起放進去的信裡面，寫著事情的來龍去脈。又是一封很長的信……雖然二哥和神祕女子的事也令人在意，但是在考慮之後還是放棄沒寫。

在寄給弟弟的信旁邊，放著一張什麼都沒寫的信箋。瑠璃在煩惱許久之後——

『給武者小路先生

就算是在十年後也沒關係，

隨時都歡迎你偶爾來久城家露個臉喔？

久城瑠璃』

現在的問題是——

究竟要不要把這封信寄出去？

瑠璃不知應該如何是好。依然有著一點不甘心，接近痛苦的奇怪心情。

瑠璃面對自己筆下只有數行，笨拙至極的信，皺起美麗的臉孔不停煩惱……

窗外蒼白的月亮已經出來，透過薄薄的紙門照亮瑠璃房裡的榻榻米。瑠璃的長髮與閃亮有如黑貓的濕潤漆黑眼眸隱約浮現。

帝都的夜晚，隨著瑠璃的思緒變得更深……

10

在遙遠海洋的另一端，遼闊的歐洲大陸，建築在山腳下的聖瑪格麗特學園。夏日的陽光傾注而下，空無人影的莊嚴校舍於熱風吹拂之下，在縷縷蒸氣的另一頭搖晃。

校園一角的男生宿舍走廊上，維多利加不耐煩地抬頭「呼～」打個呵欠。閃耀有如寶石的翡翠綠眼眸，浮起珍珠淚珠。維多利加用小小的手背揉去淚水，抬頭看著一彌：

「好長的信啊，久城！這下子總算結束了吧？」

「嗯……應該是吧。原來從遙遠的國家為妳寄來的和服和糖果，有這樣的背景啊。怎麼樣？多少打發了一點無聊吧？」

「唔……」

維多利加又打了個呵欠，然後攏起美麗的金絲長髮，搔著頭說道：

「究竟十年之後，你姊姊會不會嫁給怪盜呢？」

「誰知道……咦，哪來的怪盜？」

聽到一彌的聲音，維多利加的手放開梳攏起來的長髮，翡翠綠的眼眸大睜，像是打從心底感到驚訝。很少浮現表情，有如高級陶瓷娃娃的美麗冰冷臉蛋像是大吃一驚，極其稀罕地浮現表情。

然後才以放棄的模樣喃喃說道：

「武者小路就是在夜空中飛翔的披風怪盜。你該不會在看過那封信之後，還是沒有注意到這件事？拜託你，說你是在騙我。」

「不，即使妳拜託我……很遺憾，我什麼都沒有注意到。喂，這究竟是怎麼回事？為什麼武者小路先生要從百貨公司的樓頂飛向空中？為什麼陸軍軍官要把昂貴的壺偷走，而且裝扮成怪盜的模樣？」

「為了救你姊姊。」

「咦～～!?」

一彌發出怪異的叫聲。他把信放在房間裡，來到走廊坐在維多利加的旁邊，目不轉睛地盯著她，宛如在等待她的說明。維多利加嫌麻煩似地說道：

「……這個表情的意思，就是要我把它語言化吧？」

「嗯。對啊，我希望妳可以這麼做！」

「真是個麻煩的傢伙！」

「妳、妳有資格說我嗎！真是的，快說！」

「唔……」

維多利加不滿地鼓起薔薇色臉頰，終於不甘不願地開口：

「那個披風怪盜偷了大壺之後爬上屋頂，從那裡飛向夜空逃走……事實上並非如此。他只是讓人這麼認為，其實是跳到地上。」

「跳到地上……從百貨公司的屋頂？」

「你姊姊瑠璃小姐不是寫了嗎？走在百貨公司的後街，遇到武者小路。按照瑠璃小姐的說法，武者小路的背後，掛在百貨公司外牆的垂幕正隨風飄動。可是如果要在外牆懸掛垂幕，上下不都會牢牢固定嗎？只有下方沒有固定的垂幕才會隨風飄動。」

「嗯……」

「恐怕那個垂幕，原本並不是直掛，而是橫掛的吧？由右到左綁在百貨公司頂樓的窗邊。武者小路用日本刀切斷綁在一頭的繩子，然後把從頂樓垂落至地面的垂幕當成梯子，由屋頂逃到了地面。」

「嗯——不過他為什麼要做出這種事？」

維多利加輕聲笑了：

「恐怕是目擊瑠璃小姐和她的同學打破昂貴的大壺吧？為了掩飾這件事，只得立刻裝成怪異的怪盜把大壺偷走，以誇張的方式讓它消失。以偷畫出名的怪盜本人應該和他是兩個不同的人。你說專門偷畫的大盜有什麼理由偷個破壺？也就是說只有消失的壺是假的怪盜所為。」

「不過……那可是披風怪盜，哪裡能夠變出披風？」

維多利加聳聳肩：

「你的姊姊不是寫了嗎？武者小路是陸軍軍官，穿著陸軍的卡其色披風和制服。從遠處看，根本無法分辨是什麼披風。應該是把披風翻個面穿上，將顏色矇混過去吧？在告別之際，你姊姊伸出手來，他卻沒有回握，原因就是披風裡藏著一個大壺。對他來說，能夠握到仰慕十年的人伸來的手，應該是難得的機會。」

「……」

「他一定很愛你的姊姊。身為菁英軍官，要是被發現一定會遭受軍方處罰。事實上他是冒了很大的危險，幫助心愛的人。」

「嗯……」

一臉複雜的一彌陷入沉默。

維多利加注意他的模樣，開玩笑地說聲：

「這麼一來，你應該很擔心姊姊會被來路不明的怪盜搶走，為此感到很不甘心吧？」

「才才、才不是。」

一彌急忙辯解：

「不論如何都令人擔心啊。姊姊是個相當有趣的人，只是不知道像誰，對於這種事情相當遲鈍。我從小時候就看了許多單戀姊姊的男人，因為從沒有得到注意而失敗。如果置之不理，

只怕姊姊會繼續傻下去，再過十年也沒有任何進展吧？真是的，雖然是我的姊姊，還真令人擔心啊。」

一彌長嘆一口氣。

維多利加絲毫不感興趣地喃喃說聲：「唔……」又回到原先的書籍裡。金色的頭髮有如耀眼小溪落在冰涼的走廊地板。

在宿舍的建築物外面，夏日的陽光依舊毒辣。花壇裡綻放的各色花朵，也在熱風之中搖晃。有如融化冰柱的白色噴水池在無人庭園的正中央，不斷噴出清涼的水。

安靜，卻又好像隱藏激烈的一九二四年夏天——

聳立在西歐阿爾卑斯山脈的山麓，莊嚴學園的一角——

「久城……」

過了一會兒，維多利加小聲呼喚。一彌抬頭說：「什麼事？」看著維多利加，不過她卻是一臉不悅。

「怎、怎麼啦？」

「……又無聊了。」

「咦～～可是事到如今已經什麼都沒有了！不可思議的事情已經全部告訴妳了，點心也被妳全部吃掉了！」

「那就去外面找吧。」

「……我不是說過外面沒人嗎？」

感到不滿的維多利加鼓起薔薇色臉頰。

鼓起的側臉讓一彌傻愣愣地盯著好一會兒，終於像是感到奇怪，忍不住發出笑聲。維多利加更加不高興，把臉頰鼓得更高。

夏日的陽光與無人的莊嚴校舍。

和平的時光緩緩流過——

〈fin〉

第五章

來自畫裡的女孩

1

夏日將盡，閃亮耀眼的陽光也變得稍微柔和的早晨。

聖瑪格麗特學園——

從空中俯瞰ㄈ字型的巨大校舍，仍然見不到學生的身影，在夏日陽光的照耀下寂靜無聲。仿造法式庭園的校園裡綻放各色花朵、有如融化冰柱的白色噴水池、舒適的涼亭，以及蒼鬱的森林……依舊是一片廣闊寧靜。

幾隻來自森林的迷途松鼠橫越茵綠的草地，一名身穿深藍色和服，綁上黑色衣帶的小個子東方少年「喀啦喀啦！」踩著木屐，心不在焉地從旁邊的小路走來。

清爽的漆黑頭髮，配上帶著些寂寥的同色眼眸。手上卻拿著一把和這身裝扮完全不搭調，綴滿白色與粉紅荷葉邊的收攏陽傘，一臉嚴肅地叫道：

「喂——！維多利加！」

似乎在找尋某人，不停走在小路上。想要找的人今天似乎不在涼亭裡，草地的長椅上，舒

適的樹蔭下。過了好一會兒，少年——久城一彌再度回到相同的小路：

「喂！維多利加、維多利加！」

呼喚相同的名字，這次則是搜尋長椅下方、花壇深處，彷彿在找迷路的小貓，一一仔細檢查之後才離開。

「到底跑到哪裡去了……」

聲音逐漸帶著不安。

在夏日將盡，漫長的休假只剩下幾天的聖瑪格麗特學園一角——

「喂——維多利加！」

傍晚。

陽光減弱，草地上也開始出現陰影的時刻。

噴水池發出讓人感到舒服的水聲，小鳥也不時鳴叫。

和剛才穿著相同服裝的一彌又出現在小路上。這次似乎把陽傘放在某處，取而代之的是單手拿著一個剛烤好的大蛋糕。

「維多利加，這是甜點喔？」

一邊大聲說道，一邊左右搖晃手裡的蛋糕：

「這是剛烤好的橘子蛋糕喔。妳到底上哪裡去了？這是舍監蘇菲小姐給我的，妳只要有這個應該就會出現吧？吱、吱吱吱！」

「唔……」

很近的地方傳來一個短促、低沉、沙啞的聲音。驚跳起來的一彌差點弄掉蛋糕，急忙環視四周。把剛烤好的橘子蛋糕放在長椅上，先是看向長椅下方，甚至還把手伸入旁邊大櫸樹的樹洞裡面。

「……維多利加？妳在哪裡？」

「在這裡，笨蛋。」

那是極其不悅的沙啞聲音。

四處張望的一彌臉上浮起「不會吧？」的表情往上看。

從綠意盎然的蒼鬱樹葉當中，垂下一條金色的東西，好似不可思議古代生物的細長尾巴。而且還輕輕搖晃，彷彿是在誘惑一彌。

一彌歪著頭，伸手試著拉扯金色的尾巴。

「還不住手！」

更加不悅的低沉聲音。一臉無奈的一彌只能窺探樹葉深處。

有如獨自綻放的祕密大花，鮮豔的粉紅荷葉邊加上接近透明的纖細蕾絲，就在樹葉深處不悅地呻吟。

「維多利加？體型嬌小，愛生氣的大小姐……妳在那種地方做什麼？」

「咕嚕～～」肚子叫的聲音代替維多利加的回應。一彌有點著急：

「肚子餓了嗎？這麼說來妳打從早上就不在圖書館、糖果屋、涼亭，到處都找不到。該不會一大早就在這棵樹上吧？快點下來，這裡有香甜柔軟，剛烤好的蛋糕喔。」

維多利加從樹葉當中露出臉。小巧有如陶瓷娃娃的端整相貌，綠色眼眸帶著深沉的亮光，潤澤的嘴唇好像櫻桃。薔薇色的臉頰……現在已經失去顏色，變成一片蒼白。

「怎麼了？下來吧。」

「唔、唔。」

維多利加不住呻吟。

一彌朝著上方伸手，這才注意到她的所在位置很高，只得把手放下。視線從維多利加身上往下移，盯著櫸樹的樹枝和樹洞。然後再度抬頭看著維多利加：

「我大概知道了，維多利加。」

「唔……」

「妳沒辦法爬下來，對吧？」

「……」

維多利加好像一隻自尊心受傷的野生動物，默默低下頭。

一彌盡量低著頭不看在遙遠高處臉紅害羞的維多利加，丟下一句：「我去找梯子！妳在這裡躲好。」便離開現場。維多利加像是鬆了一口氣般默默放鬆臉上的表情。

夏季乾燥的風吹過，吹動茵綠的樹葉以及維多利加垂下的金髮。這是一個寧靜、和平的夏日黃昏……

就在此時，塞西爾老師和舍監蘇菲從小路另一端手牽著手走來。因為是暑假，兩人並沒有穿著工作服，而是一起穿上簡單的白色連身洋裝，配上可愛的拖鞋。大大的圓眼鏡和捲曲棕髮的塞西爾與雀斑臉配上豔紅長髮的蘇菲，感情融洽地靠在一起，吱吱喳喳說個不停。

塞西爾發現長椅上有一個看來很好吃的蛋糕，不禁戳著朋友的手：

「蘇菲，有蛋糕耶！」

「咦？啊，真的有蛋糕。唉呀，這不是我剛才烤的嗎？怎麼會在這裡呢——？」

於是兩人坐在長椅上，融洽地吃起蛋糕。旁邊的櫸樹突然搖晃不停落下樹葉、樹枝，還傳出奇異的動物叫聲，但是兩個人絲毫不在意，說著村裡朋友的八卦與打扮，還有昨天晚餐吃了什麼，總之就是說個沒完，並把整個蛋糕全部解決。

然後塞西爾和蘇菲若無其事地站起來，手牽著手離開。

「真好吃。」

「好吃，真好吃。」

「對了，昨天晚餐的甜點啊……」

只留下空蕩蕩的長椅、滿地的櫸樹落葉，以及小孩子硬是壓抑的低聲啜泣……

「維多利加！」

過了好一會兒，抱著梯子的一彌終於滿身大汗跑回來。也不顧和服下襬凌亂，一心一意把梯子靠著櫸樹爬上去，滿臉笑容伸出雙手迎接躲在樹葉裡的嬌小友人。

可是下一秒鐘，維多利加的指甲抓向他的臉，讓他忍不住發出哀號：

「好痛！喂！維多利加，我、我是來救妳的，妳怎麼這樣啊。冷靜一點……哇啊！別捏我啊。妳怎麼哭了？什麼，蛋糕怎麼了？好痛好痛好痛！」

梯子不停搖晃，就在一陣無聲的戰鬥之後，總算安靜下來。一彌將粉紅荷葉邊與蕾絲的集合……維多利加．德．布洛瓦夾在腋下，搖搖晃晃爬下梯子。只見表情憮然的他，臉上全是傷痕：

「……蛋糕再烤就有了。」

「……」

「不准再抓人，很痛的。」

「……」
「聽到我說的話嗎，維多利加？下次妳再做這種事，我真的會生氣喔。」
「……哼！」
兩個人終於回到地面。拋下認真收拾梯子的一彌，維多利加一邊搖晃粉紅荷葉邊一邊跑過草地，朝著迷宮花壇的方向逐漸遠去。
「啊，喂……妳要上哪去啊……」
喃喃說道的一彌有點寂寞，但也只能抱著梯子，緩緩走上天色漸黑的學園小徑……

2

就在此時，距離一彌被抓花臉的聖瑪格麗特學園校園不遠的村落一角——
大家都聚集在紅磚警察局對面的村公所大樓，忙碌地搬東西。大樓一樓美術品展示室的主管在一旁發號施令——那是一名年約五十歲，蓄著半白鬍鬚的男子。他從剛才開始就在大呼小叫，大聲使喚作業員把東西搬到各處。

「真是的，全是些沒用的傢伙。好了，把那個打開。那個要放這邊。呼～該不會趕不上明日的展覽會吧？」

擦掉額頭的汗水繼續說道：

「畢竟要展出那幅有名的〈緞帶少女像〉啊！嗯，無論如何一定要成功……」

接著對一名看起來還是少年的作業員大聲怒吼。其他的作業員不由得繃緊神經打開箱子，將取出的繪畫與雕刻按照指示排好。

「真是的，全部都是一個德性……」

主管繼續嘮嘮叨叨唸個不停。

至於矗立在村公所對面的紅磚警察局裡，最近因為屢立奇功而遠近馳名的名警官古雷溫・德・布洛瓦，正走在走廊上左右搖晃閃亮的鑽子頭。

「那就拜託你們了，各位。即使我這個名警官不在也要好好幹啊。哈哈哈——」

一如往常穿著適合美男子、無懈可擊的服裝。絲質襯衫配上閃亮的袖飾，手上還戴著銀錶。一隻手拿著文件包，另一隻手抱著據說是價值可抵一間房子的昂貴骨董陶瓷娃娃。異國風格的黑髮藍眸娃娃，似乎無奈地仰望布洛瓦警官怪異的流線形髮型……

頭戴兔皮獵帽，手牽著手的年輕男子兩人組跟在邊說話邊大步邁進的布洛瓦警官後面，而且不住點頭：

「是——」

「完全沒問題——警官——」

兩個人看起來都是二十歲上下的年輕人，給人的感覺相當類似，其中眼尾上吊，身材削瘦的人是伊安，眼尾下垂，身材圓潤的人是艾文。即使兩人手牽著手，還是靈巧穿過人來人往的警察局走廊，跟在警官身後。

正要走出警察局時，布洛瓦警官突然轉過身，尖銳的鑽子頭在夕陽底下閃閃發亮：

「伊安和艾文。」

「是——」

「是——」

同時回答的兩人露出天真的笑容，抬頭仰望警官。

「我不在的期間就拜託你們了。萬一……」

匆匆忙忙的作業員從對面的村公所跑出來，身為主管的男子正在大聲抱怨。有個拿著扁平大型包裹的年輕作業員似乎在反駁，可是又被年長作業員阻止。

布洛瓦警官回頭看著那陣騷動，像是在問怎麼回事。不過立刻瞇起眼睛調整心情，視線再度落在兩人身上：

「我不在時若是發生什麼事，你們兩人可要好好解決。」

「是——」

「是——」

「即使我不在，也要好好工作。不然我就把你們兩個開除。」

「咦——」

「咦——」

兩人同時露出悲慘的表情。伊安喃喃說著：「萬一我被開除，老媽就……」艾文也垂下頭唸唸有詞：「妹妹……比我還會吃……」

來回看著他們的布洛瓦警官繼續說道：

「只要能夠順利解決就沒問題了。我走了，我會在蘇瓦倫住個兩天才回來。我打算在拍賣會上購買新娃娃。回頭見了。」

「是——」

「是——」

兩人對著抱著娃娃走遠的布洛瓦警官揮手，對面的村公所大門「啪！」地一聲關上。

暮色已深，黃昏的橙色光線開始包圍村落。

夏日將盡的某個黃昏……

3

第二天早上。

漫長的暑假只剩下最後幾天，有點寂寥的聖瑪格麗特學園——

陽光也變得柔和，以蓬鬆荷葉邊撐起的維多利加趴在舒適的草地上，縮成圓滾滾的模樣。

「維多利加，我覺得妳真的很幼稚。喂！」

「妳啊……」

一旁是穿著藍色和服搭配木屐的一彌，以無奈的表情站著。手中拿著荷葉邊陽傘，為了避免潔白如雪的嬌小維多利加被太陽曬壞，幫她在草地上做出一個圓型陰影。

不過維多利只是倔強地假裝沒聽到，專心看著攤在草地上的書籍。縮起來的背上有看似白色翅膀的裝飾蝴蝶結，在乾燥的夏日風中搖曳。

「妳從一大早就在生氣。多少給個回應吧。」

「……唔。」

和昨天一樣自尊受損的表情，維多利加低聲呻吟。沉溺在無聊與倦怠裡的小臉蛋依然沒有任何表情，但也不是沒看過她露出害羞脹紅的表情……

「昨天妳一直在樹上，我們根本沒說到話啊。都已經到了今天，妳就別再生氣了。我們來聊天吧。對了，就來聊些妳喜歡的艱深知識好了。我會乖乖聽到最後的。」

「唔……」

「所以說……」

「我……」

「看著我，乖乖站起來。妳看妳看，風都把洋裝——」

「肚、子……」

「——掀起來了。襯褲都曝光了！這是內衣吧！雖然我不了解可以露出多少，可是總要整理吧……妳剛才說了什麼？」

一臉不悅爬起來的維多利加，以渾圓的兩隻小手慢條斯理整理亂七八糟的洋裝裙襬與用來支撐裙子的鯨骨圓形襯裙，以及有著薔薇圖案刺繡的襯褲。然後坐在陽傘底下的圓形陰影裡，眼睛直盯一彌。

「怎、怎麼了？」

「肚子餓了。」

「喔，這樣啊……」
「久城，你去買些好吃的東西回來。」
「嗯。咦，要去哪裡買？」
「村裡應該有吧……」
喃喃自語的維多利加又趴在地上，踢動穿著緞帶鞋的纖腿。邊翻開書籍還邊催促：
「還在那裡磨蹭什麼？好了，快去買吧。」
「嗯……啐！我知道了……維多利加真愛擺架子！」
小聲抱怨的一彌把嬌小的維多利加和立起來的陽傘留在草地上，以抬頭挺胸的嚴肅表情走上小路……

正好在這個時候，沿著村裡最大的一條馬路起了一陣騷動。
站在村公所前的主管一邊抖動混有白鬚的鬍鬚一邊大叫：
「被偷了！快來人啊！重要的畫……〈緞帶少女像〉被偷了！」
巨大的叫聲和被逼到絕路的語調，讓人們從四面八方聚集過來。其中包括走在大街上的鄉村姑娘、對面雜貨店的店員和客人，以及一手拿著待洗衣物的大嬸……
「快來人啊！是這傢伙、這傢伙偷的！」

主管抓住一名舉止高雅的年輕女子。看就知道不是村裡的女性，穿著相當高級的白色洋裝與同色鞋子。綁成兩束的淡褐色長髮也纏上白色緞帶，有著大理石花紋的髮束垂到腰際。

主管抓住女子的手，不停搖晃並且大叫：

「這傢伙一離開，畫就消失了。剛剛還在的畫一瞬間就消失了。就是她偷走的！」

女子害怕到發不出聲音，不斷搖晃的蒼白臉頰像是在說「不是我」。

「怎麼回事？」

唸唸有詞的村長終於現身，眼睛看著兩人。

主管突然變得客氣，對著村長說道：

「為了展覽會才從蘇瓦倫美術館借來的〈緞帶少女像〉被偷了！」

「你、你說什麼！」

村長的表情頓時蒙上陰影⋯⋯

「可是我在不到三十分前，還看到它在一樓的展示室。」

「是啊！這個外地女人進來繞了一圈，打算偷偷離開。當我把頭抬起來，畫就消失了。」

年輕女子一臉泫然欲泣的表情喃喃說道：

「可是我只不過是在暑假旅行，偶然來到這裡，就住在附近的旅館。打算搭乘今天早上的火車回家，只是想在搭車之前進來看看⋯⋯而且我⋯⋯」

女子雙手一攤。村長、主管和圍起人牆的村民同時「啊……」發出聲音。

女子什麼都沒帶，只是以即將落淚的表情環視村民。

「可是……」

一名村民指著女子說道：

「可是妳進來之後，正打算出去時，畫就不見了。」

主管在一旁說道：

「其實我也沒看到她進來。注意到她時，就已經在展示室裡了。所以我認為是展示開始之後，她就從打開的門進來，完全沒有聽到腳步聲。等到這個女人要出去時，我回頭往畫的方向看去，畫就已經不見了。不對，畫不是不見——」

主管往展示室的方向看去。可以看到正中央最醒目的地方，放著一張沒有任何東西的全白畫布。

「——而是變成全白的畫布。畫面變得空空蕩蕩。」

主管指著它害怕說道：

其他的村民盯著女子說道：

「可是這名外地女子，和〈緞帶少女像〉裡的少女簡直一模一樣……」

村民以怪異眼神看著那名身穿著白色洋裝，髮繫白色緞帶的女子。一名村民喃喃說道：

「簡直就像是從畫裡面跑出來，所以畫才會變得空空蕩蕩嗎？怎麼會這樣……」

女子不斷搖頭，村民無不面面相覷。

同一時間。

與鬧得不可開支的村公所，隔著一條大街的警察局三樓。

兩名男子手牽著手，愣愣站在可以眺望大街的窗邊。他們正是眼尾上吊的伊安與眼尾下垂的艾文。伊安一隻手拿著報紙，艾文一隻手拿著棒棒糖。伊安的視線從報紙上移開，艾文也把棒棒糖從嘴裡拿出來。

村長和主管在大街上圍著一個看似外地人的女子，不知在激動地說些什麼。村民也在旁邊助陣，喊著「是誰偷的？」「那是很昂貴的東西啊！」「怎麼辦？」之類的話。

伊安以顫抖的聲音說道：

「這、這是事件吧——」

艾文搖頭否認：

「才不是——可能是大家在排戲。」

「啊，秋天的豐年祭快到了——不對，距離豐年祭還很久。而且一大早就在馬路正中央排戲？會有這種事嗎？」

「沒有吧。」

「沒有啊。」
「……」
「……」
兩個人不由得看著對方。
無情的掛鐘發出滴答聲響，窗外的騷動越來越大。
面面相覷了幾秒之後，兩個人同時嘆氣：
「這是事件。」
「是事件。」
「不得了了。」
「不得了了……沒辦法，走吧——」

手牽手走下警察局的樓梯，眼尾上吊的伊安喃喃說道：
「其實——在稍早之前我就有個假設。」
「假設？」
「布洛瓦警官真的是名警官嗎？你應該也有過這種疑問吧——？」
艾文停下腳步。

站在樓梯上的兩人再次對望。

「有、有啊。而且布洛瓦警官真的很怪。」

「很怪吧？」

「很怪、很怪。」

「可是這個奇怪警官有時候卻會變得聰明絕頂，輕鬆解決困難事件。」

「是啊。」

「咦，這樣難道不奇怪嗎？」

「……」

「也就是說，總是嘿嘿傻笑，好像什麼都不懂的樣子出門，去了某個地方再回來之後，就可以輕而易舉解決事件。這種情況我們遇過好幾次了吧？」

「對啊……像是〈機車斬首事件〉還有〈怪盜奎亞那事件〉都一樣。之前也有同樣的情形。而且那時也不知為何，說是為了解決事件非得這麼做，惡魔的命令之類沒頭沒腦的話，要我們手牽手。因為沒說可以放開，從那之後就一直手牽手……」

「反正已經習慣了，還好。」

兩人繼續走下樓梯。伊安熱衷地繼續說道：

「也就是說，警部在事件解決之前不知為何，一定會到『那個地方』。懂了嗎？關鍵就是那個地方。」

艾文歪著頭思考，然後「啊！」了一聲。

「了解了嗎，艾文？」

「那座圖書館塔！」

「沒錯。為什麼布洛瓦警官明明沒事，卻總是急急忙忙而且一臉不悅地前往根本不想去的聖瑪格麗特學園呢？而且都是直接跑到圖書館塔最上層，讓我們在下面等著。下來之後，更不高興的警官又會拿我們出氣，但是總能……」

伊安「啪！」一聲彈響手指：

「解決事件。」

「這是怎麼回事？」

兩個人抵達一樓。手牽著手迅速走過走廊，朝著大門前進的伊安說道：

「也就是說，『名偵探』就在『圖書館塔的最上層』。懂了嗎？」

「那、那上面根本沒人啊？雖說在很久很久以前，那裡傳說是蘇瓦爾國王金屋藏嬌的地方，不過現在只是普通的植物園。」

「其實有的，艾文。」

伊安露出自信的笑容：

「你回想一下。我們接受布洛瓦警官的命令，帶到圖書館塔的學生總是在那裡吧？一看就知道那傢伙不是普通人。」

「啊……」

艾文一面打開玄關的對開大門一面大叫：

「那傢伙是祕密的名偵探？」

「絕對不會錯。」

兩人離開警察局來到大街，正午的眩目陽光讓兩人同時瞇起眼睛。伊安深吸一口氣：

「久城一彌！那個來自東方的留學生！他就是布洛瓦警官的祕密名偵探！」

「……是？你說我是什麼？」

一手抓著錢包，踩著木屐在大街上奔跑的一彌，忍不住停下腳步詢問伊安。

「喂，快住手，為什麼拉我！我要去買東西……買甜點……」

在大街的正中央，一彌被伊安和艾文一左一右拉住雙手，即使不停揮手抵抗，兩人還是牢牢抓住一彌的手不放。掙扎之中雙腳竟然離開地面，拉著他的兩人開始奔跑。

「木屐！我的木屐要掉了！這是怎麼回事？太亂來了！」

「你來幫我們解決事件——」

「過來一下就好。憑你應該可以立刻解決吧——」

「……事件？」

就在一彌回問之時，正好抵達鬧成一團的村公所前面。繪畫、畫布、和畫中少女相似的女子——村長和主管七嘴八舌說個不停，伊安手拿筆記本，由艾文做記錄，開始向他們問話。至於一彌還是一臉正經，有禮貌地向他們打招呼。

伊安和艾文把外地女子帶回警察局，一彌不禁偏著頭思考這是怎麼回事：

（大家都這麼頭痛……還是告訴維多利加吧。而且說不定可以讓她稍微打發無聊……）

想著想著，一彌便走上返回學園的道路。

4

午間眩目陽光傾注的聖瑪格麗特學園中，待在舒適的涼亭裡的維多利加的雙手撐在對嬌小的她來說實在太高的圓桌，並坐在圓椅子上懶洋洋地伸展四肢。維多利加美麗的金髮披散在桌上，飛舞的模樣彷彿解開的絲線，又好像流洩在地上的金色瀑布。

桌上除了維多利加的小腦袋和纖細雙手之外，還有別的東西——空無一物的純白瓷盤，以

及對她來說尺寸太大的銀刀叉。

「肚子餓了……」

維多利加以悲傷又細小的聲音喃喃自語。

咕～

維多利加蓬鬆的洋裝裡，傳來肚子咕嚕鳴叫的低沉聲響。維多利加以再也動不了的姿態，像隻懶散的小貓般趴在桌上。不過遠處隱約傳來的聲音，讓她小巧白皙的耳朵豎了起來。

啪噠、啪噠、啪噠、啪噠、啪噠……

是木屐的腳步聲。在無人的小路上，正朝著涼亭接近。維多利加毫無表情，有如太古生物的寧靜臉上，只有嘴唇似乎……隱約綻開。

「………加！」

遠處可以聽到呼喊維多利加的聲音，呼喚聲也隨著腳步聲一起接近。維多利加開心地綻開笑容，打算爬起來。

咕嚕～

肚子又叫了。

一彌的聲音也逐漸接近。

「維多利加！」

「……那個壞蛋總算回來了。」

「我帶了妳最愛的東西回來!」

「哼,那我就原諒你的遲到……」

維多利加從桌子上爬起來,坐在空盪盪的白盤子前面,右手拿刀,左手拿叉,瞄了一眼跑過來的一彌。

表情……像是驚訝般睜開眼眸,接著好像是在……發怒。

兩手空空的一彌踏著木屐,搖晃著和服的衣襬衝進涼亭裡,像個小孩子一樣大喊:

「帶了妳最愛的事件回來!」

「……」

維多利加沉默不語,眼睛盯著一彌。

「好痛!好痛好痛!快住手啊,維多利加!我還以為妳一定會感到很高興!況且大家都很傷腦筋……」

「蛋糕呢?舒芙蕾呢?餅乾呢?果醬呢?怎麼回事,這是怎麼回事啊,久城?我、要、的、甜、點……」

被握著刀叉的小維多利加不停戳刺背部,一彌在涼亭裡四處竄逃。維多利加大大的綠色眼眸積滿眼淚，瞪著沒買甜點就回來的一彌。

「嗚……」

「怎、怎麼了？」

「我、我被背叛了……」

「太誇張了！喂，我因為聽到有事件發生，想要告訴妳所以急著回來……才把最重要的事情忘了……不，是我的錯，我去買回來就是。等一下，我再去一趟村裡……什麼？」

正要邁步前進的一彌轉過身。

維多利加小巧帶有花朵圖案的高跟鞋尖，輕輕踩著木屐腳跟。

偷看她的臉，看不到任何表情。一彌再次看向腳邊——維多利加的確輕輕踩著一彌木屐的鞋跟。

難不成是要挽留自己嗎？一彌想到這裡，忍不住問道：

「怎麼了？」

「……回到村子之前，先告訴我發生什麼事。」

「我、我知道了。」

咕～

維多利加的小肚子又叫了。

一彌在涼亭的圓椅子坐下，開口說了起來：「就是今天早上，在村公所的展示室……」

同一個時間。

跟著一彌過來的伊安和艾文正躲在學園的花壇裡，從盛開的各色花朵當中露出臉來，從遠方看著一彌。

在兩人的視線前方，說不定是名偵探的久城一彌，竟然一個人……在玩洋娃娃。

涼亭的椅子上，坐著一個垂著漂亮金髮的精巧陶瓷娃娃。白色荷葉邊的洋裝有如花朵膨起，戴在小腦袋上的帽子就像即將綻放的蓓蕾。

一彌一臉認真，好像在對陶瓷娃娃說話……

感到懷疑的伊安不禁說道：

「布洛瓦警官也喜歡娃娃呢。」

「嗯。」

艾文也點點頭：

「今天早上還抱著黑髮娃娃出門。據說價值可以買下一幢房子。」

「不過久城一彌的娃娃比較……」

「真是不得了。」

艾文嘆了口氣：

「簡直就像活的一樣。怎麼會這麼漂亮啊？完全不像是這個世界上的東西。」

「嗯……」

「也就是說，警官和久城一彌是因為喜歡娃娃，所以交情好囉？」

「一定是這樣。」

「啊……他走了！」

在涼亭裡起身的一彌就這麼拋下娃娃，走在小路上。伊安和艾文也急忙追上去。

夏日閃亮的眩目陽光依然灑落在小路上，白色噴水池噴出潺潺的清涼流水……

5

一彌回到村公所時，正好遇到女性旅客準備離開警察局。他立刻叫住快步離去的女子：

「等一下！」

嚇了一跳的女子回過頭。伊安和艾文也在這個時候趕上，趕緊追問一彌：

「怎麼了——？」

「不能讓她逃走。」

村長和主管也走出來，看向一彌與女子。女子不滿地說道：

「我什麼都沒帶，也沒有可疑之處，剛剛已經獲得釋放了。我要回去了。」

伊安與艾文擋住轉頭就要離開的女子。村長懷疑地詢問一彌：

「你的意思是說她是犯人？這是怎麼回事？她究竟是怎麼把東西偷走的？根本沒有帶任何行李啊。」

管理人也碎碎唸個不停：

「對啊，兩手空空什麼也沒有。如果犯人是她，那麼被偷的畫跑到哪裡去了？那是很大的一幅畫喔。」

一彌邊點頭邊對伊安說道：

「請把展示室裡的空白畫布拿過來。」

「知道了——」

伊安拿來全白的畫布。一彌接著對艾文開口：

「請把這位小姐綁在頭上的緞帶解下來。」

一彌才剛說完，原本安靜站著的女子突然發出叫聲，開始拚命掙扎。驚訝的警察趕緊將她制住。有如畫中女孩的緞帶也被警察解下。那條緞帶的表面雖然是白色，可是解下來一看，背面卻是混和各種顏色，說不出是什麼花色的怪異緞帶。

接過緞帶的一彌把它繞在畫布上，重來好幾次之後總算纏好。捲上緞帶的畫布逐漸由上而下，開始出現消失的〈緞帶少女像〉圖案。

「這、這是怎麼回事？這究竟是……」

村長忍不住大叫，主管與聚集過來的村民也訝異地看向畫布。

把緞帶全部纏上去之後，原本全白的畫布上再次出現一幅畫。主管以懷疑的模樣說道：

「也就是說，這個女人進入展示室之後，把纏在畫上的緞帶解開綁在自己頭上，然後兩手空空離開？所以才會只剩下全白的畫布……」

「沒錯。」

一彌點頭同意。

懷疑的村長也提出自己的問題：

「那表示這幅畫一開始就只是纏著緞帶的假畫？從送到我們村裡以來……」

「不，並非如此。」

一彌回頭看著伊安與艾文：

「請搜查這位小姐住的旅館房間。一定可以找到那幅不見的〈緞帶少女像〉。」

村長與管理人對看一眼，伊安和艾文也愣在原地，總算倒吸一口氣：

「是——」

「是——」

大叫一聲，然後手牽著手往前跑……

6

距離這起騷動大約過了一小時。

陽光變得柔和，午後的時光平穩流動的聖瑪格麗特學園——

涼亭圓桌上的盤子裡，放著一彌買來的純白乳酪蛋糕。在雪白的蛋糕上面還淋上大量苔桃果醬，維多利加為之興奮不已：

「蛋糕、蛋糕……」

像是唱歌又像低吟，以微妙的節奏唸唸有詞。

像個僕人站在身後的一彌擔心說聲：

「啊——啊——哪有把一整瓶果醬倒上去的。啊，真是的。維多利加，手指都被果醬沾得黏答答了。」

「你太吵了。」

維多利加冷漠回了一句，就以銀刀叉切開純白蛋糕。用叉子戳起切成四方形的蛋糕，塞進小嘴巴裡，把臉頰塞得鼓鼓的。苔桃果醬從潤澤的櫻桃小嘴流出，沿著潔白的下巴往下滴。

「喂！維多利加，果醬滴下來了，別弄髒妳的寶貝洋裝。」

「唔、唔、唔。」

「妳啊……」

一彌邊用餐巾擦拭維多利加的臉邊問：

「妳的肚子這麼餓嗎？」

「……那還用說。」

把下一塊蛋糕塞進嘴裡，鼓起臉頰的維多利加說得口齒不清：

「久城，都是因為你的動作慢吞吞，害我差點死掉。」

「太誇張了！重要的是剛才的繪畫事件，究竟是怎麼回事？」

「言語化是吧？」

維多利加顯得很不耐煩。一彌在她身旁的圓椅子坐下，不斷點頭。維多利加只能嘆氣：

「唔唔，沒辦法。雖然麻煩，還是為了遲鈍的你語言化吧。你應該感激落淚啊。」

「是是是，快點快點。」

「唔？」

維多利加瞪了一彌一眼，這才慢條斯理開口：

「如果把罪行發生的時間定為『零點』，其實在我們認定的時間之前，零點就已經造訪那個地點。就是這麼回事。」

「拜託妳以我能夠了解的方式說明好嗎，維多利加？」

「唔？」

維多利加顯得更加不耐煩：

「也就是說，你們以為女人偷走畫的時間，是在她把緞帶綁在頭髮上，打算離開展示室的時候。可是事實並非如此，畫早在前一天就被偷走了。」

「咦？可是大家都說今天早上還看過畫啊？」

「那是以緞帶纏繞空白畫布的假貨。從遠處看去就像真的。」

維多利加邊切蛋糕邊說明：

「你聽好了，前一天傍晚搬運美術品時，有個少年作業員因為挨了主管的罵而離開。刑警當時看見那名少年正在搬運一個扁平的方形貨物。雖然只是我的想像，不過那名少年與第二天早上被捕的女人，應該是同一個人。」

「這麼說來，在旅館房間裡也的確找到了作業員制服。」

「唔，恐怕就是她混在作業員裡搬畫。至於是在什麼時候把真畫和緞帶假畫掉包，則是在真畫在剛搬到美術展覽室之後就被拿走了。」

「嗯、嗯。」

「為了掩飾犯罪時間，所以她第二天早上以女性裝扮進入展示室，解下緞帶讓畫布變成一片空白，讓人以為犯罪時間是在第二天。只要安全脫身沒有被逮，那麼當然沒有問題。萬一被捕也是兩手空空，根本不會調查頭上的緞帶。她的如意算盤就是在釋放之後，帶著藏在旅館裡的真畫逃走。」

「喔……」

一彌點點頭：

「原來如此，我總算了解了。不過還好有找到那幅畫，畢竟村民都很著急。」

「唔……」

吱吱吱吱——某處傳來鳥叫聲。微風吹過，茵綠草地和緩搖擺。夏末時分的陽光似乎增添了一些溫柔。一彌凝神注視這樣的風景，然後將視線轉回維多利加身上。

「原來如此。維多利加……咦，妳怎麼啦？」

默默不語的維多利加抱著肚子，似乎相當痛苦。

「妳怎麼了，為什麼抱著肚子？喂，維多利加？」

「肚子……好脹……」

「妳、妳吃太多了。妳的胃只有那麼一點點，不可以把這麼大的蛋糕全部吃掉啊。維多利加？妳？喂……」

維多利加離開涼亭，在草地上滾來滾去，一下子仰臥一下子轉身。一彌急忙追在後頭，撐開從涼亭裡拿來的陽傘，以圓形陰影保護維多利加。

「維多利加，妳啊……」

「唔……」

「喂……」

「又變得無聊了。肚子好脹……」

一彌俯視閉上眼睛躺在草地上的維多利加，只能露出不知所措的微笑。

然後輕輕抬起頭，仰望天空——

和平似乎會持續到永遠的暑假即將結束。等假期結束，學園的學生回來之後，便會再度占領這片草地、涼亭和長椅吧？這麼一來，維多利加一定會再度回到圖書館塔的最上方，那個安靜、祕密的藏身之處……

一彌俯視草地上的朋友。維多利加把小肚子朝向天空，滿足地閉上眼睛。金色頭髮在茵綠草地上攤開，有如閃閃發亮的金色扇子。

想到要和這個朋友共同珍惜剩下的暑假，一彌不由得笑了。

〈fin〉

第六章

1

夏末的閃亮陽光照在石板路上，反射耀眼的光芒。行道樹的樹葉青綠茂盛，從遠處傳來馬車與汽車交錯通過馬路的聲音。

溫熱柔和的風吹過，像是不捨更迭的季節。

假期的季節接近結束的某個午後，人稱「歐洲小巨人」的蘇瓦爾王國首都——蘇瓦倫也難得一片寂靜，人跡罕見。度假歸來的男子走在路上，展現在地中海曬黑的肌膚。因為漫長的暑假還沉浸在夢裡的年輕女孩，從鋼鐵與玻璃築成的雄偉查理斯．德．吉瑞車站下車，拖著沉重的行李箱，攔下出租馬車。夏日的風再度吹過，搖曳的行道樹發出沙沙聲響。

令人感到歷史悠久的紅磚石板古老街景，受到近代化的浪潮，混入鋼鐵與煤炭的氣味。在歐洲也是屈指可數的經濟都市蘇瓦倫，露出威風凜凜的模樣。

一輛豪華馬車在紅磚砌成的古老厚實建築物前停下。嘶叫的馬匹踢擊石板，發出有節奏的低沉聲響。車夫畢恭畢敬打開車門，一旁經過的年輕女孩也好奇張望，不知道是哪位貴夫人即將下車，一邊走著還不斷回頭。

馬車裡出現一雙經過仔細保養，但是已經老舊的女鞋。鞋子的主人遲疑了一會兒才跳下車。車夫急忙勸告：

「夫人，您這樣跳下來會扭到腳的！」

「可是地面這麼遠，當然要用跳的。」

「您又來了。」

跳下車的簡樸貴夫人，用嘴唇在一臉無奈的車夫臉上輕碰一下。車伕露出怕癢的笑容：

「您要是受傷，我會被先生責怪的。」

「要是這樣，我會把丈夫罵一頓，還要打他的屁股。」

「我還真想見識一下。」

車夫伸手幫助貴婦身後穿著深藍與白色制服的年輕女僕下車，口中唸唸有詞：

「蘇瓦爾警察署長席紐勒被夫人責罵的情景，可不是那麼容易看到的。」

女僕也被逗笑了。這名女僕雖是年輕愛打扮的女孩，可是剛才跳下車的貴夫人裝扮卻像是年長的貴婦，毫無裝飾的洋裝，隨便應付的帽子，稍微偏左的棕色頭髮也像是沒有花費太多時間整理，出門前才匆忙盤起。

女僕注意到這一點，不著痕跡地整理夫人的頭髮。毫不在意的夫人只是朝著車夫微笑說聲：「那就在這裡等我吧。」便踩著「喀、喀、喀！」的腳步聲往前走。挺直背桿為夫人整理頭髮的女僕，因為夫人突然走開，伸長的手就此撲空，不禁愣了一下：

「夫人，妳的頭髮亂了！」

「我不在乎。」

「我在乎啊。夫人……真是的，給我等一下！」

恭敬的用語到此結束，女僕的雙手拉起沉重的深藍長裙追在後面，白棉布襯褲和條紋襪子全部暴露在外，「喂喂！」車夫也不禁出聲斥責。夫人就停在紅磚建築物的門口，面帶傻笑握住追上來的女僕雙手。

「呼、呼，夫人，賈桂琳夫人。頭髮……亂了……呃，為什麼緊緊握住我的手？」

「瑪莉安，萬一我打算買什麼愚蠢的東西，妳要保證一定會阻止我……」

「如果妳要做什麼蠢事，我一定會阻止妳。從以前以來一直就是這樣，不過妳根本不肯聽我的話啊。」

夫人看來年約二十五歲到三十歲，女僕不過接近二十歲，明明是女僕比較年輕，不知為何一直說個不停：

「明知快要下雨，卻偏偏想去野餐。看到快斷的危橋，就想去走一趟。」

「這樣不是很有趣嗎？突然下雨也找到躲雨的地方，快斷的危橋也很幸運地沒有斷。」

「可是我卻感冒了。我和身強體壯的夫人不一樣，可是很纖細的。」

聽到抱怨的賈桂琳鼓起臉頰，睜大眼睛，裝出有趣的表情代替回答。女僕不禁笑了：

「哈哈哈哈！」

「席紐勒夫人，歡迎光臨！」

看來像是負責人的魁梧男子現身，在賈桂琳的前方行禮。打開的門裡面是寬廣的講堂。在男子的帶領之下，賈桂琳安靜地抓住女僕的手往前走。

挑高的大廳天花板有各色的彩色玻璃，將夏日的陽光轉換為各種顏色，傾注在地。這裡便是蘇瓦倫引以為傲，在歐洲也排得上前五名的華麗拍賣會場。旁邊有好幾排的鐵製長椅，上面已經坐著不少抬頭挺胸的紳士。假期即將結束的這個季節，竟然能聚集這樣多的人，著實是令人吃驚的盛況。

男子一臉愉快地看著賈桂琳：

「敝公司這個月的拍賣，能夠得到警察署長夫人大駕光臨，真是光榮至極。今天為了讓各位夫人能夠盡興，我們特地準備許多飾品。想必能讓您樂在其中！」

「唉呀，那真是令人期待。」

賈桂琳微笑回答：

「我的丈夫也對如此文化很感興趣。他曾經對我說過，畢竟這是需要教養的娛樂，真希望能夠更加蓬勃發展。」

「這是我們的榮幸。還請您盡情購買。來，請坐請坐。」
被帶到最前方貴賓席的賈桂琳，對著站在身旁的年輕女僕輕聲叮嚀：
「如果我打算買什麼東西，妳一定要阻止我喔。」
「咦，一定要嗎？難得有這麼多漂亮的東西——」
「一定要。我們家的經濟狀況已經很差了。雖然丈夫是貴族，但是根本沒有祖先留下來的遺產，只能依靠警察的薪水過活。我們家的狀況真的很危險。」
這麼說著的賈桂琳不知為何得意洋洋。
「我、我懂了。我一定會阻止的……」
正當女僕遺憾地嘟起著嘴巴時，會場裡的喧鬧聲突然安靜下來，看來拍賣即將開始。挺胸坐好的賈桂琳開始左右張望。
「夫人？」
「沒事，那個……好像有人在看我，感覺就像在戳我。是不是有人看著我啊？」
女僕也跟著東張西望，發現有名年輕男子似乎故意移開視線，但是因為現場人太多，也不是看得那麼清楚。於是只好偏著頭說聲「誰知道……」沉重的紅簾幕也在此時拉開，拍賣隨著鼓掌的聲浪開始。
台上一一出現中世紀王族用過的劍，以及美麗的裝飾藝術家具。寶石也都是難得一見的珍品，會場不斷傳來嘆息與交頭接耳的聲音，還有爭相投標的聲音。

賈桂琳卻是一臉無趣地撐著臉頰。旁邊的女僕不知如何是好，連忙出聲糾正：

「夫人，您應該裝出有興趣的模樣啊。表情愉快一點。」

「喔。嗯，也對。」

「夫人小時候應該被老師罵過吧？」

「妳怎麼知道？」

「看就知道了。您就是那種會讓家庭教師氣得大哭的大小姐。」

「唉呀，瑪莉安妳看那個。」

突然有了興趣的賈桂琳指著舞台。和剛才富有品味的古董家具截然不同，現在上場的是一個詭異的漆黑面具，而且還有嚇人的惡魔表情。賈桂琳不禁發笑，女僕也跟著忍住笑意。

「討厭，那個東西真有趣。」

「對啊。真有趣——」

正當兩人打打鬧鬧時，底價公布了。這麼高的底價不由得讓兩人面面相覷，四周也沒有任何人下標。「有人要出價嗎？」的聲音響起時，賈桂琳舉起一隻手，頂向笑個不停的女僕。

「喔，警察署長夫人舉手了！」

「咦……？」

賈桂琳回頭一看。

會場所有的人都在看著自己，賈桂琳嚇了一跳，臉色也瞬間變得鐵青。

那根本不是席紐勒家付得起的價格，可是事到如今也沒有退縮的餘地。就在整個人變得蒼白之時……

正後方的座位傳來一個男聲競標。賈桂琳鬆了一口氣，全身無力癱在椅子上。似乎沒有其他人想要那個奇怪面具，不過即使只有一個，世界上還是有品味怪異的人——正當她這麼想時，耳朵聽到競標的紳士名字。

「那麼這件商品就由古雷溫·德·布洛瓦先生得標！」

訝異的賈桂琳忍不住回過頭。

七彩光線從天花板落下，那個似曾相識的金色尖銳物體被紅、藍、綠、黃、橙等各種顏色照得閃閃發光。站起來的那個男子——最近成為街頭巷尾的話題人物，報紙上還有附上照片的報導，走在路上也有紳士與年輕女孩前來要求握手的名警官——古雷溫·德·布洛瓦，臉上掛著親切的微笑向周圍眾人致意，甚至還向大家揮手，最後才愉快落座。

注意到瞪大棕色眼珠望著自己的警察署長夫人，搶先一步開口：

「我從以前就一直想要那個面具。今天和過去不一樣，不是為了買洋娃娃特意過來蘇瓦倫。我是為了買面具而來。這麼做絕對不是為了賈桂琳。」

「啊……是、是嗎？」

賈桂琳相信他說的話。

2

賈桂琳和其他的客人一起離開拍賣會場，看到站在一旁的古雷溫，女僕傻愣愣地張著嘴巴仰望。

潤澤金髮梳理得尖銳有如大砲，貴族的俊美輪廓令人惋惜如果沒有這頭怪異髮型該有多好。銀袖飾搭配馬褲的打扮，簡直讓人無可挑剔。只要去掉那頭尖銳的頭髮，簡直就像浪漫的愛情小說裡走出來的王子。

賈桂琳向女僕說明他是布洛瓦侯爵的嫡子，也是她的青梅竹馬。走在石板路上的古雷溫默默抓住賈桂琳的裙襬，拉了幾下。

「有什麼事嗎，古雷溫？」

「要喝杯紅茶嗎？我渴了。」

「渴？」

回頭看到古雷溫不知道是否肚子痛，一臉鐵青。

「簡直就像在沙漠裡頭。快渴死了，真想立刻就喝杯紅茶。」

「好，我知道了。記得在這後面就有一家咖啡廳。我們快過去吧，古雷溫。」

聽到沙漠與快渴死了，賈桂琳急忙離開馬車啪噠啪噠奔跑。古雷溫抱著剛買的面具，一臉和面具無異的可怕表情跟在後面。

兩人終於抵達咖啡廳。那是位於蘇瓦倫頗有歷史的古老飯店一樓，有著挑高天花板與豪華裝潢的咖啡廳。

兩個人點了紅茶，女僕則是站在一旁聽兩人說話。賈桂琳還不忘吩咐侍者：「這位先生口渴了。動作快一點。」然後重新看向古雷溫。

好像靜不下來的古雷溫不停抖腳，每次抖動金色大砲就會跟著上下搖動。貴族的深綠色眼眸不停東張西望，又低頭看著手邊的面具，忍不住沉吟……總之就是靜不下來。賈桂琳詫異看著他的模樣，終於微笑說道：

「好久不見了，古雷溫。」

「是嗎？」

古雷溫選擇望著天花板回答。看來似乎心情平靜許多，感到不可思議的賈桂琳偏著頭：

「是啊，我們變得好疏遠。曾經有過的青梅竹馬漫長時光，好像已經離我們遠去了。你根本都不來找我，和以前差好多啊。」

「初夏時分曾經見過一面，可是妳好像完全忘了。」

「我怎麼會忘記。可是我沒有把它當成是和你的重逢。因為你在迅速解決〈傑丹〉百貨公司發生的怪異事件，令人訝異地大顯身手之後，就立刻返回那個村子，即使想招待你到我家來也沒辦法。畢竟可以一起暢談童年往事的人並不多。你可是我珍貴的青梅竹馬。」

「小時候的事我全忘了。」

古雷溫以沙啞的聲音回答，可是突然定睛正面看著賈桂琳，搖晃的大砲跟著停下動作，眼眸的綠色光澤也變得更深。

看到賈桂琳回望著他，不知所措的古雷溫將黑色面具拿起來遮住臉孔，只剩從兩個空洞裡露出的綠色眼眸，完全看不到面具下方的表情。

「賈桂琳，妳怎麼沒什麼精神？」

「咦！」

賈桂琳嚇了一跳，看著面具回問一句：

「你怎麼知道？」

「哼！」

古雷溫用鼻子哼了一聲：

「當妳沒精神時，一定會做蠢事。頂著一頭亂髮就出門，裝出興奮的模樣，然後在奇怪的地方跌倒，最慘的是變成殺人事件的嫌疑犯。剛才也是一樣。」

「剛才？」

「沒、沒事……總之，妳的失敗我都看在眼裡。」

「唉呀。不過我對你的事就沒有那麼清楚——」

「這件事我知道。」

古雷溫不由得露出苦笑。

紅茶送來了。侍者恭敬擺好銀餐具，把紅寶石色澤的紅茶倒入杯裡。

看也不看紅茶一眼，古雷溫透過面具開口：

「發生什麼事了？」

「唔……」

「小時候在哪邊跌倒，妳不是都會老實說出來嗎？還說什麼襯褲襯裙全都曝光了。妳只要一發生什麼事，不是都會哇哇大叫嗎？」

「……什麼嘛，小時候的事你都記得嘛。」

「唔，只要和妳有關。」

「而且全是一堆怪事！」

「說來聽聽吧，妳可以不用跌倒的。畢竟現在的妳可是偉大的警察署長夫人。哼，還真是不能亂來。所以妳坐著就好。」

「古雷溫真是的……」

瞪著隱藏在面具後面的古雷溫，賈桂琳用力嘆了一口氣：

「其實……」

今年的假期雖然愉快，卻也遇上一件令人困擾的事——賈桂琳開始娓娓道來。

3

每年說到度假，總是和丈夫及夫家親戚一起出門，唯獨今年不一樣。這是因為警察署長席紐勒為了處理〈傑丹〉事件，整個夏天都很忙碌。夫家親戚裡的年輕夫人懷孕了，年輕人因為行為不檢而無法離開學校回家度假，還有患了夏季感冒的祖父等等，總之有太多和往年不一樣的地方。原本打算今年哪裡都別去，留在蘇瓦倫好了，可是學生時代的同學蘇菲亞難得和我連絡，說是在家裡悶壞了，邀我一起到地中海度假。

「一定能像回到學生時代一樣快樂吧？妳應該多動一動啊。」

「蘇菲亞，妳也是一個人嗎？」

「不是。呵呵，我要和我的丘比特同行。」

「丘比特？」

「我來介紹……對了，我一定要介紹給妳認識。」

就是這樣，丈夫也揮手勸她「去吧！去吧！」因此賈桂琳便前往地中海的沿岸城市。

在查理斯．德．吉瑞車站相約，丘比特和蘇菲亞和樂融融地膩在一起。雖然頗為訝異，但是在聽到「丘比特你好，我是賈桂琳。和蘇菲亞是學生時代以來的朋友。」的自我介紹之後，對方只是微笑回應。外表看來相當羞澀，但是在搭車的時間也就變得熟識。或許是被不怕生的賈桂琳個性所影響，彼此很快就建立交情。

「你們是在哪裡相遇的？」

「蘇瓦倫啊。就是很老套的故事，四眼相對就看上眼了。」

「真是美麗的故事。」

天南地北悠閒聊天，可是就在列車接近地中海的沿岸城市時，丘比特突然不太對勁。明明和賈桂琳、蘇菲亞吃著同一袋食物，卻只有丘比特顯得很痛苦。在列車裡完全不知該如何是好，終於到達目的地，送到城裡的醫院時，丘比特已經渾身無力，不一會兒就斷氣了。

愣住的蘇菲亞連話都說不出來。賈桂琳代替她詢問醫生，只說是因為旅行改變環境的關係，身體因此變差，又吃了腐敗的食物，所以才會變成這樣……假期在毫無預期的事件中揭幕。之後把丘比特埋葬在看得到海的山上，然後和成天哭泣的蘇菲亞開始寧靜的夏天……

4

「……死了？」

古雷溫聽到這裡，總算把面具拿下來，身體往前傾。賈桂琳一臉哀傷地點點頭：

「是啊，實在太突然了。沒想到會發生這種事，而且還那麼年輕。」

「有驗屍吧？」

賈桂琳嚇了一跳，連忙搖頭否認：

「沒有。立刻就埋葬了。」

「賈桂琳，妳怎麼說也是警察署長的妻子啊。眼前發生怪異的死亡方式，怎麼會沒有留意死因呢？」

「那、那、那是因為你是大名鼎鼎的名警官啊。可是我是外行人，而且我們完全相信醫生的說法……」

「唔唔，這麼說來都是因為妳漫不經心的關係吧。繼續說吧。唔唔。」

「我、我知道了。」

賈桂琳繼續說下去。咖啡廳裡十分安靜，從高聳的天花板垂下的豪華水晶吊燈閃閃發亮。裡面的客人三三兩兩，可以聽著遠處傳來的鋼琴演奏。侍者無聲無息走過通道，持續為客人進行服務。古雷溫像是回想起來，拿起紅茶啜飲一口。

「這是黃色的丘比特突然暴斃之後發生的事……」

「黃色？」

「是啊。」

「好奇怪的品味……」

一臉不耐煩的女僕，眼睛直盯古雷溫的尖銳髮型。

5

眺望閃亮耀眼的地中海，蘇菲亞每天過著以淚洗面的日子。傷腦筋的賈桂琳一面搖晃吊床嘆了一口氣。

可是再怎麼哭，死者也不會活過來，得想個辦法讓蘇菲亞恢復精神才好。

因此在十天之後，她幫蘇菲亞換好衣服，化上漂亮的妝，帶著她到外面去。城裡應該有許多愉快的事——有貴族聚集的正式茶會，也有當地的年輕人在海邊舉辦的隨興派對。賈桂琳原本就是個不怕生，喜歡接觸人群的人。蘇菲亞雖然心情低落，但也是開朗可愛的女性，因此在派對露面之後，大家都樂於和她們交朋友。

到了夏日將盡之時，蘇菲亞總算恢復精神，讓賈桂琳終於可以安心一點。在茶會裡，蘇菲亞對最近在貴族女性間流行的靈異熱潮產生興趣。而她們造訪的夫人家裡也找來一位知名靈媒。

「她在世界大戰裡失去了獨生子。據說就是因為這樣，學到不少事情。」

一心想要讓蘇菲亞變得開朗才會聊起這個話題，可是賈桂琳卻不禁感到擔心。雖然提了很多意見，但是似乎沒有得到採納。

「什麼降靈會的，實在很難讓人認同。一定要付給她很多錢，而且根本就是騙人的。蘇菲亞，別信那一套，我們出去散散心吧。」

「不要。如果那個靈媒是真的，說不定可以聽到死去丘比特的聲音。」

「丘比特的聲音？可、可是根本聽不到吧……？」

「妳為什麼這麼篤定呢，賈桂琳？」

「蘇菲亞……」

所謂的降靈會，就是最近在貴族之間流行的遊戲。按照靈媒的指示，幾個人圍著房間裡的圓桌坐下，大家手牽著手。在熄掉燈火之後，大家等待死者附身在靈媒身上……雖然賈桂琳一點也不相信，還是被蘇菲亞拖著參加降靈會。

靈媒是個老女人，宣稱夫人死去的兒子已經附身，手拿著羽毛筆不斷寫下來自兒子的訊息。內容全是「媽媽要保重啊！」「死後的世界非常寧靜。」等等，任誰都寫得出來的內容，可是蘇菲亞卻完全相信。而且毫不顧賈桂琳的反對，付出高昂的費用舉辦自己的降靈會。

靈媒收了蘇菲亞的錢後開始舉辦降靈會。也許是對反對的賈桂琳感到不耐煩，有一天她終於說出：「丘比特是被殺害的。犯人就在我們當中。」

拿來和丘比特相同顏色的黃酒，並給了所有出席降靈會的人一人一個玻璃杯：

「只有犯人的酒會因為犯罪的關係變得白濁。這是丘比特告訴我的。」

靈媒以顫抖低沉的聲音如此宣布，逐一在所有人的玻璃杯裡倒酒。

然後……

不知為何，只有賈桂琳的玻璃杯在倒入酒之後立刻變白。在膽戰心驚的人群之中，靈媒睜大眼睛，得意地放聲大叫：

「果然，就是這個女人把狗殺了！」

賈桂琳這才回過神來，加以反駁：

「才不是。那是我們吃的三明治因為夏天陽光照射，有點變質的關係。而且也可能是因為裡面混著讓狗產生過敏症狀的洋蔥。為什麼我要殺害朋友心愛的寵物？妳倒是說說看我這麼做的理由啊？」

「理由只有妳知道。不過丘比特是這麼對我說，說牠是被這個女人殺害。」

得意洋洋的靈媒指著賈桂琳，甚至還學了幾次狗叫。賈桂琳氣壞了：

「狗才不會說話，妳根本就是騙人。妳一定了解吧，蘇菲亞……蘇菲亞？」

回頭看向朋友，不知如何是好的蘇菲亞只是看著靈媒與賈桂琳。看到那副不安的表情，賈桂琳突然覺得渾身無力。

雖然這個夏天因為擔心蘇菲亞帶著她到處跑，現在回想起來好像是多管閒事。自信滿滿的靈媒還問她，有什麼其他的理由可以說明酒會變白。

賈桂琳拚命思考，可是還是想不通，只能搖搖頭。

出席降靈會的其他人在嘴裡小聲唸唸有詞：「警察署長夫人竟然會毒殺別人的狗？」「真是難以置信！」之類的話。一想到這樣下去會影響丈夫的名譽，眼前就變得一片黑暗。

蘇菲亞沉默低著頭，眼神不願意對上賈桂琳。

最後賈桂琳就此和蘇菲亞尷尬分開，垂頭喪氣回到蘇瓦倫。原本愉快的夏日回憶也因此變得苦澀……

6

「就、就是這麼回事。古雷溫……古雷溫，你有在聽我說話嗎？」

沒有反應，賈桂琳不自主在內心煩惱：「真是的，難道是我太多話了嗎……？該不會睡著了吧？」一面如此想著，一面伸手拿開漆黑的面具。

面具下方的古雷溫表情，卻是一臉呆滯。

他一口喝乾紅茶，以接近嘆息的低沉聲音開口：

「……狗？」

「對啊。」

「妳是在說狗？丘比特是一隻狗？」

「對啊。我一開始就說了吧？」

「絕對沒有。」

「是嗎？總之就是一隻很漂亮的小黃狗。雖然有點怕生，也只會小聲叫一聲『汪！』喔。

真的很可愛。」

「原來是狗啊……」

喃喃自語的古雷溫注意到賈桂琳垂頭喪氣的模樣，像是要為她打氣：

「不過死了一隻狗，需要這麼大驚小怪嗎？」

「對飼主來說可是天大的事喔。我被朋友誤解，內心很沉重啊。而且我怎麼可能做出毒殺可愛小狗這種可怕的事……可是即使我這麼想，還是無法說明發生在那場降靈會裡的不可思議現象啊……」

「唔。」

賈桂琳越說心情越沉重，頭也越垂越低。古雷溫先是一臉嚴肅盯著她，最後小聲說道：

「不行，還是不知道。」

「咦？」

「沒有，沒事……為什麼黃色的酒會變白呢？不知道。嗯……明明是優秀的警官，不過還是不知道。嗯……為什麼？真是太不可思議了。怎麼辦？啊～唉，可惡，沒辦法！」

自顧自地唸個不停，還上下左右搖晃金色大砲，最後總算站起來往某處走去。賈桂琳驚訝問道：

「你、你要去哪裡？」

「我去繞一繞，思考一下。」

「思考？思考什麼？古雷溫？」

過了好一會兒，古雷溫還是沒有回來，賈桂琳不禁開始擔心。就在她離開座位四處尋找時，侍者小聲報告：

「與您同行的那位尖頭男士，現在正在電話室裡。」

「電話室？」

賈桂琳驚訝地反問一句，然後便往飯店大廳的電話室走去。

古雷溫果然在那個獨立的方型小房間裡，手握聽筒不知和誰爭論什麼。

（究，究竟在做什麼啊？）

賈桂琳悄悄接近，想確認一下現在的狀況。

可以聽到電話室裡流洩出煩躁的低沉嗓音。

「別看腳邊！」

（咦？腳邊……？）

似乎是在生氣。

「這個惡魔！老是只為了有趣，就要我做這個做那個。妳從以前就是這樣。什麼……？喂，妳不准笑！嗚!?」

賈桂琳不禁偏著頭。古雷溫以可怕的表情瞪著聽筒：

「妳把哥哥當成什麼了！把人看扁也要有個限度。少囉嗦，快點告訴我。妳問煩惱的人是誰……賈桂琳啦。賈桂琳。什麼？就說是、賈、桂、琳！」

（我的名字……？）

古雷溫壓低了聲音，所以聽不到接下來說了什麼。賈桂琳雖然感到疑慮，還是回到座位乖乖等他回來。女僕也以不可思議的表情說了一句：「那位先生怎麼這麼慢啊。」

過了好一會兒，古雷溫終於離開電話室。還以為他會回到這裡，不知為何卻直接朝著化妝室走去。賈桂琳和女僕對看一眼：

「怎麼回事？」

「誰知道。」

不過他的舉動也讓女僕感到氣憤不平：

「這位先生話說到一半就離開座位，然後開始到處閒晃。這樣對夫人實在太沒禮貌了，即使是青梅竹馬也不該……」

一邊抱怨還一邊拉扯圍裙裙襬。

「他一定很忙吧。畢竟他可是名警官，解決許多困難的事件，是個受到尊敬的人。是我打擾他了。」

「即使如此……」

「沒關係的，瑪莉安。」

「真是過分的青梅竹馬。」

「瑪莉安……」

不過賈桂琳也因為無聊，開始扮鬼臉逗弄坐在附近的小朋友。小朋友也不服輸地扮鬼臉回敬，讓賈桂琳不由得更加熱衷。

終於聽到化妝室的門打開，離開化妝室的古雷溫越走越近。正在扮鬼臉的賈桂琳注意到腳步聲，抬起頭來。

古雷溫以受不了的表情往下看：

「這是什麼表情啊。妳怎麼還是和以前一樣。我還以為妳成為警察署長夫人之後會有所改變，結果根本沒變，還是和以前一樣，是個想做什麼就做什麼的小女孩。」

「……古雷溫。」

不再做鬼臉的賈桂琳也以受不了的表情抬頭看著對方：

「你也變得太多了。這究竟是怎麼回事？你……你、的、頭……」

古雷溫的頭似乎在廁所裡經過重新整理，金色大砲變成兩門。一上一下的金色頭髮有如兇猛的鱷魚，猙獰地張開嘴巴。賈桂琳也不知道該說什麼，只是一言不發默默仰望。古雷溫一個

轉身繼續說道：

「不用在意。只是……」

「怎、怎麼可能不在意？你究竟怎麼了？在剛才的幾分鐘裡，你到底發生了什麼事？我這個旁觀者真的完全看不懂。」

「等一下，我再去打通電話。稍微等我一下。」

「什麼!?」

賈桂琳傻傻盯著搖晃兩門大砲，匆忙走向電話室的背影，然後又趕緊追過去。古雷溫握著聽筒，不知和誰正在吵架：

「維多利加……我做到了。」

那是真的被激怒的低沉聲音：

「妳這個小鬼，真是難纏的傢伙。妳要弄尖就弄尖，要增加就增加，妳要相信這就是我身為男子漢的生存方式……妳、妳說我沒出息？是誰害我變成這樣的？維多利加，我的妹妹……妳給我記住。我是說真的。」

只看得出來正在和某人爭論。接著古雷溫便一臉正經聽對方說話，有時大叫「啊！」、有時點頭、有時小聲回問「是嗎？」

看起來還要講上好一會兒，賈桂琳悄悄離開電話室，回到桌邊正想要找侍者加點一杯紅茶時，卻看到古雷溫好像變了一個人，意氣消沉地走回來。為他擔心的賈桂琳忍不住開口：

「古雷溫，你一定很忙吧？臉色很差呢。一定是發生什麼重大事件，所以……」

「妳不用管。」

「是、是嗎……？」

「妳要再點些什麼嗎？」

「嗯，我要再來一杯紅茶。古雷溫要嗎？」

「我倒想要喝一杯……侍者！」

古雷溫坐在位子上喚來侍者：

「來一瓶苦艾酒，還要兩個玻璃杯。除此之外還要水。」

感到很不可思議的賈桂琳問道：

「天還沒黑就要喝酒？而且你什麼時候會喝酒了？」

「唔……」

若有所思的古雷溫只是拿著面具，沉默不語。

越過咖啡廳的玻璃窗，黃昏的陽光閃亮眩目。就在他們待在這裡時，一名又一名度假歸來，曬得黝黑的男女迅速走過。時間越來越接近夏末。

侍者終於恭敬端來一瓶酒、兩個玻璃杯和一杯水。原本悠閒看著的賈桂琳，突然想起好像看過這種酒的酒瓶：

「這瓶酒……」

「沒錯。」

古雷溫點頭說道：

「靈媒用的酒，應該就是這種吧？和『死去的狗相同顏色的黃酒』。」

「沒錯，我記得這個標籤。黃色的酒只有在倒進我的酒杯裡才會變白……」

「我先把它倒進這個玻璃杯裡。」

古雷溫在玻璃杯裡倒滿黃色的苦艾酒。賈桂琳像是想起那天的情景，嘴唇不停顫抖：

「沒錯，就是這種酒。很接近丘比特的漂亮黃色。」

「然後在這個玻璃杯裡這麼做。」

古雷溫在另一個玻璃杯裡，先加入少到眼睛難以確認的水，然後倒入苦艾酒。

賈桂琳和女僕都不禁「啊！」了一聲。

看到黃色的酒立刻變白，賈桂琳喘著氣問道：

「就是這麼一回事嗎？」

「沒錯。」

古雷溫點點頭，頭上的大砲也上下搖晃：

「那名靈媒恐怕是一開始就在妳的玻璃杯裡放入少許的水。這種酒有和水混合就會變濁的特性。不過要證明那天的事也許很困難，但是最少可以對妳的朋友……蘇菲亞說明。剩下就看蘇菲亞願意相信誰。」

「這就要看我與蘇菲亞的交情了。不知道她是不是信任我這個朋友。」

「妳一定沒問題的……」

帶點諷刺的意味低聲補充一句：

「妳是重視朋友的人吧？」

古雷溫把變白的酒一口喝乾，起身說聲：「我該走了。」

「咦，你要走了？」

驚訝於他的心神不寧模樣，賈桂琳忍不住回問。

一臉悲傷，看似小孩子的怪異表情，古雷溫轉過身來。兩門大砲又開始搖晃：

「我有很多事要忙……真沒想到會在拍賣會場遇到妳。只是位子前方的人剛好就是妳，絕對不是因為看到妳的身影，不由自主繞過去接近妳，回過神來已經傻傻坐在妳的正後方。賈桂琳，絕對不是這樣。」

「啊……是、是嗎？」

賈桂琳相信他說的話。

7

古雷溫匆忙離去之後，女僕瑪莉安以受不了的聲音說道：

「看來是個定不下心來的人。」

「是嗎？」

賈桂琳不可思議地回問。

黃昏的陽光把街道染得一片橘黃。在玻璃杯的另一頭，可以看到快步離去的古雷溫瀟灑背影。走過黑色馬車、汽車以及整群的行人，他的身影消失在紅磚大樓之後。似乎有陣風吹過，通過的貴婦裙襬和帽子羽飾不停搖擺。

「這麼說來，他應該很忙吧。」

「好怪異的髮型。」

雖然女僕笑了，賈桂琳卻沒有跟著笑，只是懷念地眯起眼睛：

「瑪莉安，他是個很好的人。雖然從小就認識，可是他那麼英俊，又那麼瀟灑，而且總是十分冷靜。我在他面前總是緊張得不得了，一句話都說不出來。」

「咦？不過現在倒是說得很流利啊？」

「或許是小時候的反彈吧？而且我也不知道在什麼時候長大了。」

賈桂琳終於竊笑幾聲：

「瑪莉安，因為妳很漂亮，說不定會覺得當時的我很愚蠢。當時的我被太陽曬得很黑，舉止也很隨便，根本不是什麼漂亮女孩，反應又遲鈍，光是在遠方憧憬就已經是我的極限。把偶爾和古雷溫說上一、兩句話的記憶珍藏在心底。有時候覺得他在看著我，但是又覺得這怎麼可能，一定是我自作多情，總是感到很不好意思。」

「咦……」

瑪莉安詫異地反問：

「如果四目相對，看回去不就得了？」

「這種事我做不到。告訴妳喔，瑪莉安，不擅言表的女孩可是非常害羞的。就算遇到好男生，也會覺得太過眩目而不敢接近。不過和古雷溫拉近距離之後，卻覺得他非常親切，所以雖然緊張，也留下了許多美麗的回憶。」

「那時不是尖的吧？」

「是啊，當時的確不是尖的。」

「那麼為什麼會變尖呢？」

「這我就完全不了解了。好像是變成大人之後的事。說真的，我也不知道到底方不方便過問……只是不管尖不尖，古雷溫還是古雷溫。」

賈桂琳拿著裝有黃色苦艾酒的玻璃杯，猶豫了好一會兒才下定決心，一口氣喝乾：

「他從以前就很溫柔，今天也對我伸出援手。小時候只注意到漂亮外表而不敢接近，所以才會不了解。真正了解到這一點，是在長大之後了。這麼說來，經過這麼長的一段時間，變成大人好像也並非全是壞事。雖然當時只想永遠不要長大，永遠是個孩子。」

賈桂琳的臉上露出微笑。

窗外暮色已濃。兩人緩緩離開咖啡廳，走在石板路上。爬上久候的馬車，從馬車車窗凝目注視外面景色的賈桂琳喃喃說了一句：

「還能和他見面吧……」

夏日將盡，眩目陽光照耀著蘇瓦倫街道。沐浴在夕陽之中的窗外兩座銳利教堂尖塔，耀出閃閃的金光。

〈fin〉

尾聲

遺留在夏日眩目的聖瑪格麗特學園裡的維多利加與一彌，好像會持續到永遠的漫長暑假終於即將結束。

在夏日的最後，前往蘇瓦爾首都蘇瓦倫的維多利加的哥哥，古雷溫·德·布洛瓦，閃耀著金黃色的鑽子就這麼變成兩個。當他傷心地搖晃增加的鑽子，再次回到聖瑪格麗特學園時，下一段故事也就此拉開序幕。

暑假的最後一天，像平常一樣尋找維多利加的一彌，獨自站在空無一人的糖果屋裡。布洛瓦警官告訴一彌。維多利加前往的地方，是波羅的海沿岸的危險修道院〈別西卜的頭骨〉。一彌為了前往迎接維多利加，在行李箱裡塞滿荷葉邊、蕾絲、書籍、甜點，就此跳上火車。

在夏日將盡之時，維多利加與一彌全新、危險的冒險終於拉開序幕。但是，那又是別的故事了——

後記

各位讀者，大家好。我是櫻庭一樹。在此獻上《GOSICKs 2 —遠離夏季的列車—》，還請大家多多指教。

這一次的故事，是進入漫長暑假的聖瑪格麗特學園——學生們紛紛出門度假，留在學園裡的維多利加和一彌兩人獨處的安靜且充滿不可思議的每一天。時間正好介於暑假前學園發生的事件，揭穿神祕鍊金術師利維坦陰謀的《GOSICK 4 —為愚者代辯—》，以及一彌為了追回在暑假最後一天早上出發的維多利加，來到怪異修道院〈別西卜的頭骨〉的《GOSICK 5 —別西卜的頭骨—》兩集之間。兩個人在暑假裡，究竟過著什麼樣的日子呢？還有，在長篇第三集的開頭曾經出現的一彌姊姊・久城瑠璃寄來的信，以及在長篇第五集開頭突然增加的鑽子頭之謎，和短篇第一集出現的〈小馬拼圖〉解答篇等等，和系列其他的故事都有一些關連。希望大家都能夠盡情享用這一集。

這是第七本《GOSICK》系列小說（喔～～！各位讀者，感謝大家一路的支持……！）。

Frontier Works將會提前短篇集第二集一步，在四月推出廣播劇CD「GOSICK」。喔～～！維多利加與一彌初次相識的故事，是以短篇集第一集為基礎寫成的劇本。至於配音員部分，飾演維多利加的是齊藤千和小姐，一彌是入野自由先生，塞西爾老師是堀江由衣小姐，布洛瓦警官是子安武人先生。封面自然是武田日向老師從未發表（！）的豪華插畫。要是各位讀者不嫌棄，請到店裡找一下……

還有連載《GOSICK》短篇的《FANTASIA BATTLE ROYAL》雜誌上，正在進行〈製作維多利加的SUPER DOLLFIE～～！〉的計畫。這個部分也在慢慢進行，娃娃本身已經完成，武田老師設計的超厲害洋裝也完成了，就連菸斗和MACARON等小配件也一應俱全！喔……！作家只能卯起來寫稿，在《GOSICK》系列剛開始時，光是完成插畫就讓我感動得不得了，可以像這樣擴展出去，聽到大家的聲音，成為摸得到的人偶，就連作者也是每天都很興奮呢。為了讓各位讀者能夠感到更加有趣，我們都會不斷努力，請大家繼續支持。

好了好了，又到結尾的時間……

這次在執筆的過程中，也受到各位相關人士的大力幫助。藉此機會向大家道謝。責任編輯的Braindead K藤先生，今後這個系列的整理&編輯工作&各種工作也請多費心。超級插畫家武田日向老師，感謝您這次也畫出好棒的插畫～～！雙手比出三角形的維多利加真是好、好可愛……！涼亭也是！（最近我家老媽成了武田老師的迷，上次回老家時，還一直對我說太可愛了，太棒了，簡直是讓人受不了……）還有這次也受到MYSTERY文庫的T木總編（↑養了一隻好像外星人的狗。法國鬥牛犬……？）許多幫忙。非常感謝您在百忙之中還來幫忙。

接下來預定出版的是長篇第六集。在本篇第五集裡解開怪異修道院〈別西卜的頭骨〉之謎，在最後一章跳上豪華列車〈Old Masquerade號〉的維多利加與一彌。在列車當中再度發生可怕的殺人事件……!?預定在今年的秋季或冬季出版，還請各位繼續支持。

十分感謝各位耐心看到這裡。希望下次能夠再見～！以上是櫻庭的報告。

櫻庭一樹

（註：以上所述皆為日本方面的發售時間及雜誌連載）

Kadokawa Light Novels

天空之鐘 響徹惑星 1~6 待續

作者：渡瀨草一郎　插畫：岩崎美奈子

麗莎琳娜昇華醒來再度發現菲立歐睡在懷中!?
不斷自御柱出現的人物將帶來何種衝擊？

菲立歐等人正致力於解放被鎮壓的佛爾南神殿，此時卻傳來敵國塔多姆入侵的消息……一位來自西方大國拉多羅亞的劍士出現在菲立歐等人面前，並自稱是威士托的「姪子」，他的目的究竟是？劇情急轉直下的超人氣異世界SF奇幻小說第6彈登場!!

各 **NT$180~200/HK$50~55**

台湾角川

Kadokawa Light Novels

神之遊戲 1 待續

作者：宮崎柊羽　插畫：七草

人有煩惱會向神祈禱，那神又該向誰祈禱呢？
自始至終都緊扣人心的神之遊戲解謎開始！

有一天造物主突然要求，叶野學園的秋庭多加良等學生參加一場遊戲的挑戰。要是找不到造物主的話，這個地球將會毀滅!?到底神設下這場遊戲的目的是什麼？從今天開始，為期一個月，攸關未來的找神遊戲就此展開!!

台湾角川

NT$200/HK$55

Kadokawa Light Novels

ROOM NO.1301 1~5 待續

作者：新井輝　插畫：さっち

異想天開的1305新房客西奈
神秘舉動再次襲捲習慣新生活的健一！

自認平凡的高中生絹川健一無意撿到一把鑰匙，此後人生大不相同！不僅要周旋在女朋友、美女藝術家、親姊姊、神秘美少女之間，如今又要面對不按牌理出牌、莫名其妙的新房客，陪著她上街頭表演。健一不禁大嘆：我不適合談戀愛！

各 **NT$180~220/HK$50~60**

台湾角川

狼與辛香料 1～6 待續

作者：支倉凍砂　插畫：文倉 十

追蹤著伊弗腳步乘船往河流下游前進的兩人，
在半途解救了一名少年，兩人行將會成爲三人行!?

旅行商人羅倫斯在巧遇了狼神赫蘿後，答應與她一同踏上尋鄉之旅。兩人一路往北前行，途中雖然遭遇不少危機，但總是靠著赫蘿的機靈順利化解。為了爭回被伊弗佔走的便宜，乘船南下的兩人在途中遇上一名可憐少年，羅倫斯將會採取什麼行動？

台湾角川

各 **NT$200～240/HK$55～68**

Kadokawa Light Novels

憐 Ren 1~4（全）

作者：水口敬文　插畫：シギサワカヤ

在現代的憐找到無可替代的珍貴事物
絕望轉變成希望，命運純物語邁向終篇！

　　少女朝槻憐因為刑罰的關係，從未來被流放至現代。然而支配未來的運算裝置「時間的意思」的人格──「他」，要殺死玲人以改變未來。憐為了保護玲人，同時也是為了她自己，展開了最終戰──少女的絕望轉變成希望，命運純物語終於邁向終篇！

各NT$180/HK$50

國家圖書館出版品預行編目資料

GOSICKs.2, 遠離夏季的列車 / 櫻庭一樹作；
洪嘉穗譯,——初版.——臺北市：臺灣國際角川,
2008.11—面；公分

譯自：Gosicks. 2, ゴシックエス.
夏から遠ざる列車
ISBN 978-986-174-877-1（平裝）

861.57 97019207

Kadokawa
Fantastic
Novels

GOSICKs 2 －遠離夏季的列車－

（原著名：GOSICKs Ⅱ －ゴシックエス・夏から遠ざかる列車－）

2023年9月27日　二版第1刷發行

作　　者：櫻庭一樹
插　　畫：武田日向
譯　　者：洪嘉穗

發 行 人：岩崎剛人
總 編 輯：蔡佩芬
副 主 編：楊鎮遠
美術設計：黃永漢
印　　務：李明修（主任）、張加恩（主任）、張凱棋

發 行 所：台灣角川股份有限公司
地　　址：104台北市中山區松江路223號3樓
電　　話：（02）2515-3000
傳　　真：（02）2515-0033
網　　址：www.kadokawa.com.tw
劃撥帳戶：台灣角川股份有限公司
劃撥帳號：19487412
法律顧問：有澤法律事務所
製　　版：巨茂科技印刷有限公司
ＩＳＢＮ：978-986-174-877-1